Los nuevos métodos de producción y difusión musical
de la era post-digital

— Colección Comunicación e Información Digital —

LOS NUEVOS MÉTODOS DE PRODUCCIÓN Y DIFUSIÓN MUSICAL DE LA ERA POST-DIGITAL

Coordinadores

Alexandra Sandulescu Budea
Marco Antonio Juan de Dios Cuartas

Autores
(por orden de aparición)

Mauricio Rey Garegnani
Jordi Roquer González
Igor Sáenz Abarzuza
Juan Pablo Castillo Croes
Marco Antonio Juan de Dios Cuartas
Tiernan Cross
Anna Terzaroli
Rodrigo Fonseca e Rodrigues
Ana Maria Pereira Cardoso
Alexandra María Sandulescu Budea

EGREGIUS
ediciones

LOS NUEVOS MÉTODOS DE PRODUCCIÓN Y DIFUSIÓN MUSICAL DE LA ERA POST-DIGITAL

Ediciones Egregius
www.egregius.es

Diseño de cubierta e interior: Francisco Anaya Benitez

1ª Edición. 2018

ISBN 978-84-17270-32-2

Colección:
Comunicación e Información Digital

Editora científica
Carmen Marta-Lazo

Editor técnico
Francisco Anaya Benítez

Consejo editorial

Edita:

EGREGIUS
ediciones

1542

Grupo de Investigación
en Comunicación
e Información Digital (GICID)
Universidad Zaragoza

ÍNDICE

PRÓLOGO

E l volumen que aquí se presenta surge como resultado del simposio "Los nuevos métodos de producción y difusión musical de la era post-digital" desarrollado en la Universidad de Zaragoza el 10 de noviembre de 2017, dentro del VII Congreso de Investigación en Comunicación e Información Digital CICID 2017. Este encuentro científico ha reunido a investigadores de España, Portugal, Brasil, Venezuela, Italia y Australia, centrándose en el papel de la música en las relaciones sociales actuales y poniendo de relieve el término post-digital para describir el estado de normalización digital en el que nos encontramos. Superado el período de transición hacia lo digital, las entendidas como "nuevas tecnologías" han dejado de ser nuevas para convertirse en parte integrante de nuestras vidas. De esta forma, los investigadores participantes han afrontado este análisis desde diferentes perspectivas: la industria musical en la era del *streaming*, la influencia del *streaming* en los hábitos de escucha, la música digital en contextos culturales concretos, las métricas en el caso de la música, cómo afecta esta era post-digital a la relación de la música con la educación o la importancia de conocer los entornos digitales y el buen uso de plataformas a través de una especialización de la búsqueda en la palabra clave.

Es por ello que, la sociedad digital ha dejado de ser un paradigma para convertirse en una realidad que afecta a todos los sectores de la sociedad. El ámbito de la producción, interpretación y difusión musical no supone una excepción y se ha visto también sometido a un proceso de normalización digital. En el terreno de la producción musical, el proceso de digitalización sienta sus bases con la aparición del MIDI (Musical Instrument Digital Interface) y del *sampling* digital a principios de la década de los años 80 del siglo pasado y convive con los soportes analógicos hasta el cambio de siglo. En el terreno de la distribución musical, también se vive una primera etapa digital con el impacto del formato CD bajo el emblema de una hipotética mayor calidad sonora, que supuso una revolución en las ventas a pesar de su elevado precio inicial. La agresiva política de las grandes compañías en la promoción del nuevo formato provocó que desaparecieran en poco tiempo los vinilos de las tiendas, algo que supone la expansión definitiva del sector reeditando gran parte del catálogo registrado hasta la fecha en el nuevo formato digital y compitiendo en ventas con los nuevos trabajos discográficos. En cualquier caso, la incursión de la tecnología digital no supuso durante esta época un cambio radical en los procesos de producción musical y en el organigrama de la propia industria, que en el caso de las compañías discográficas siguieron conservando el mismo modelo de negocio basado en la venta de un formato físico. La nueva tecnología digital, que llevaría a la industria musical a registrar los mejores resultados económicos de su historia, será la misma que provoque la crisis que se comienza a vislumbrar con el cambio de siglo.

Aunque la tecnología digital nace pensada para mejorar la calidad de la grabación, el tratamiento y el almacenamiento de la música, la progresiva popularización de internet plantea una posibilidad real de transmitir el archivo digital a través de la red sin necesidad de fijarlo en un soporte físico. Desde la aparición de Napster en 1999 hasta la realidad actual de la música en *streaming* el desarrollo tecnológico ha hecho tambalear los cimientos de una industria discográfica tradicional, que en un primer momento, hipnotizada por los efectos económicos de sus millonarias ventas, contempla los acontecimientos ignorando el potencial de la difusión digital a través de la red.

Sin embargo, la revolución digital no solo afecta a la industria de la distribución musical planteando un cambio en el modelo de negocio basado en la venta física, los procesos de creación y producción discográfica actuales desvinculan al artista del organigrama jerarquizado de las compañías, hasta ahora vigente, pasando a formar parte de una pseudo-democratización derivada del impacto tecnológico sobre la grabación y su posterior distribución. La desaparición de los sobredimensionados estudios de grabación profesionales, el impacto del *home studio*, la repercusión del *streaming* en el consumo y los hábitos de escucha o la especial relación de la industria musical con las redes sociales son algunos de los retos a los que nos enfrentamos en la era post-digital.

De esta forma, uno de los objetivos del simposio fue la puesta en valor de la figura del ingeniero de sonido como agente destacado del proceso creativo de una producción musical, un perfil profesional analizado en primera persona por Juan Pablo Castillo Croes a través de un caso práctico en el que se repasan todos aquellos aspectos a tener en cuenta a la hora de afrontar una producción y que afectan de manera decisiva al discurso musical que se presenta.

La posibilidad de digitalizar y preservar grabaciones históricas en formatos analógicos plantea también nuevos retos para el análisis musicológico. El audio digital aporta nuevas posibilidades de análisis mediante la utilización de programas informáticos como Sonic Visualiser, una interesante herramienta al servicio del musicólogo que pretende afrontar el estudio de la *performance*, y que además convierte el archivo fonográfico en fuente de conocimiento para el intérprete. Las plataformas digitales suponen de este modo una importante herramienta para el musicólogo que se acerca a los *performance studies*. El potencial de Sonic Visualiser para el análisis de la interpretación musical ha sido demostrado en trabajos de diferentes autores como Nicholas Cook o Daniel Leech-Wilkinson, y encuentra en el trabajo presentado en este volumen por Igor Saenz una herramienta adecuada para el análisis del rubato a través de las grabaciones del violonchelista Pau Casals de la Sarabande BWV 1011 de J.S. Bach. Tal y como señala Saenz en su artículo, se trata de un tipo de análisis imposible de llevar a cabo sin el soporte informático y, de este modo, se convierte en una herramienta digital que no solamente aporta nuevas posibilidades en la campo de la investigación musicológica, sino que ofrece de igual modo una importante guía para el intérprete que pretende estudiar la micro-agógica de las grabaciones de Casals.

Pero la normalización digital de la música tiene de igual modo sus repercusiones en el consumo, los hábitos de escucha y las relaciones sociales que se generan. La hiperconectividad y la inmediatez en el acceso a un amplio catálogo musical a través de las plataformas de *streaming*, adquiere una especial trascendencia en el caso de los preadolescentes o *tweens*, cuyo impacto social analizado por Mauricio Rey y Jordi Roquer en su trabajo de campo, genera nuevas pautas de consumo convirtiendo las canciones en objetos efímeros con una vida útil muy breve.

Enseñanzas muy valiosas que se complementan con el ámbito de la curación y la experiencia musical en línea donde Rodrigo Fonseca y Ana María Pereira analizan los metadatos y sus limitaciones, ante la complejidad de la escucha en un público cuya experiencia social de los descubrimientos musicales es compleja. Esta perspectiva de creación musical puede contemplarse desde el objetivo de la práctica instrumental como un agente cultural que se complementa con lo que Tiernan Cross denomina "spatiotemporality" o, lo que es lo mismo, cómo lo post-digital deriva en un paradigma terminológico donde la producción musical se presenta como el resultado tecnológico que genera un lenguaje propio donde la creatividad musical es la llave de apertura en ámbitos aparentemente dispares.

Sin embargo, este paradigma tecnológico sigue contando no solo con los presupuestos teóricos sino con experiencias concretas como las que avala Marco Antonio Juan de Dios Cuartas cuando nos habla de la integración de herramientas de colaboración remota en los software DAW, el Music Information Retrieval (MIR) analizado en el artículo de Anna Terzaroli o la transformación de los nuevos roles sociales que nos propone Alexandra Sandulescu Budea, cuando una búsqueda musical se puede materializar en una palabra clave y un comportamiento social se puede preveer métricamente pudiendo observar tendencias sociales.

Esta realidad post-digital se abre a la comunidad científica como un interesante objeto de estudio que debe ser abordado de una forma multidisciplinar desde la sociología, la musicología, los estudios culturales o la comunicación audiovisual y que a través del presente volumen plantea una propuesta inicial en su aplicación dentro del terreno musical.

Alexandra Sandulescu Budea
Marco Antonio Juan de Dios Cuartas

COLECTIVOS EMERGENTES Y NUEVOS HÁBITOS DE ESCUCHA. EL CASO DE LOS TWEENS EN EL ÁREA METROPOLITANA DE BARCELONA

Mauricio Rey Garegnani

Escola Superior Politécnica Tecnocampus, España

Universidad Autónoma de Barcelona, España

Jordi Roquer Gonzalez

Escola Superior Politécnica Tecnocampus, España

Universidad Autónoma de Barcelona, España

Resumen

Desde la emergencia de la adolescencia como colectivo de consumo se han publicado diferentes estudios centrados tanto en los aspectos sociológicos como en las características sonoras de las producciones musicales asociadas al segmento. Peter Christenson (1998), Susana Flores Rodrigo (2008), Patricia Campbell (2010) o, más recientemente, Andy Hargreaves y Alexandra Lamont (2017), son algunos de los autores que abordan dichas relaciones. Hoy, inmersos en lo que Kim Cascone denomina la "era post-digital", surgen nuevas dinámicas de consumo que permiten ahondar en las relaciones entre tecnología y sociedad. En ese nuevo paradigma dinámico con nuevas pautas de producción y consumo marcadas por la *web* y los dispositivos móviles, observamos el surgimiento de una nueva categoría de consumidores y consumidoras: los *tweens*. Situados entre la infancia y la adolescencia, los *tweens* poseen unas características psicológicas particulares que, sumadas a su inmersión en un contexto caracterizado por la velocidad, permiten pensar en unos hábitos de consumo musical distintivos, diferentes a los del resto de nativos digitales. A su vez, dichos hábitos guardan estrecha relación con las características sonoras, de producción y de distribución de los objetos consumidos. Partiendo de esta hipótesis y analizando los datos desde el modelo de Alan Merriam (1964), nuestro trabajo ofrece una primera aproximación a los hábitos de consumo de los *tweens* del contexto post-digital en el área metropolitana de Barcelona.

Palabras claves

Tweens, consumo musical, nativos digitales, preadolescencia.

Abstract

Since the emergence of adolescents as a consumer group, various studies have been published focusing on both the sociological aspects and audio characteristics of the musical productions associated with the segment. Peter Christenson (1998), Susana Flores Rodrigo (2008), Patricia Campbell (2010) and, more recently, Andy Hargreaves and Alexandra Lamont (2017), are among the scholars who have discussed these relationships. Today, immersed in what Kim Cascone terms the "era post-digital", new dynamics of consumption surface, allowing the relationships between technology and society to be examined in detail. In this new dynamic paradigm with new patterns of production and consumption marked by the Internet and mobile devices, the emergence of a new category of consumers can be observed: tweens. Situated between childhood and adolescence, tweens have some special psychological characteristics that, coupled with their immersion in a context characterised by speed, make it possible to envisage certain distinctive habits of consuming music, different to those of the other digital natives. In turn, these habits have a close relationship to the characteristics of the sound, production and distribution of the objects consumed. On the basis of this hypothesis and analysing the data using the model put forth by Alan Merriam (1964), this study provides a preliminary approximation to the consumption habits of tweens in the post-digital context of the metropolitan area of Barcelona.

Keywords

Tweens, musical consumption, digital natives, preadolescence.

Introducción: Nuevos marcos y miradas[1]

En su artículo *The Aesthetics of Failure: "Post-Digital" Tendencies in Contemporary Computer Music,* Kim Cascone (2000) esbozaba un marco donde lo digital dejaba de ser novedad para transformarse en normativo. Casi veinte años después, inmersos en un contexto marcado por la inmediatez, la interacción y la ubicuidad, urge desarrollar una mirada crítica que además de reflexionar sobre las fronteras de lo digital nos permita observar la emergencia de nuevos colectivos. *Milennials, nativos digitales o generación@* son algunos de los apelativos que la educación, la comunicación o las Ciencias Sociales han utilizado para designar a los sujetos que han crecido en este nuevo marco. Más allá de las nomenclaturas, es evidente que las formas de interacción entre los actores implicados en este segmento y los nuevos modelos de consumo musical desvelan todo un abanico de nuevas actitudes a las que atender. Estas deben ser abordadas desde la sociología, la psicología, la antropología pero también –dado el papel central del factor sonoro– desde la etnomusicología. En nuestro caso proponemos abordar el estudio de los *tweens,* categoría que designa a los sujetos ubicados entre la infancia y la adolescencia (Bickford, 2008: 418). Surgida desde el *marketing* de la década de los '90, en la actualidad la categoría *tween* comienza a trascender los límites de los estudios de mercado para designar a un grupo que, al amparo de su potencial económico en la sociedad de consumo, busca empoderarse (Bickford, 2012: 430). Este rango amplio que abarca desde los 8/9 a los 12 /13 años, contempla individuos con características biológicas, psicológicas, cognitivas y evolutivas diversas. Por tal motivo y dada la complejidad del colectivo, hemos decidido centrar nuestro estudio en la franja superior del segmento, es decir, entre los 10 y 13 años. En dicha etapa preadolescente los jóvenes atraviesan un período que implica importantes cambios a nivel hormonal, psicológico-cognitivo y social (Aberastury, 1970: 15). En el plano cognitivo los sujetos comienzan a abandonar el pensamiento concreto y se encaminan hacia la constitución de estructuras de pensamiento abstracto, hipotético, multidimensional y relativo (Piaget, 1985). A su vez, en el plano social avanzan en la construcción de una imagen propia del mundo. Aquí la música pone a su disposición toda su capacidad epistémica (Martí, 2000: 189) ofreciendo elementos temporales, situacionales, espaciales o geográficos para interpretar la realidad que los envuelve. Si bien la búsqueda de la propia identidad es una característica fundamental de la adolescencia, a lo largo esta etapa podemos observar cómo los sujetos comienzan a manifestar la necesidad de poseer elementos culturales

---

[1] Para facilitar la lectura de este capítulo se ha optado por el uso del masculino genérico. Se sobreentiende que los colectivos objeto de estudio incluyen personas de ambos sexos.

propios que los diferencien de sus progenitores (Benet y Pitman, 2001). Tales elementos suelen ser compartidos por el grupo de pares, de los cuales se busca una valoración positiva (Silvestre y Sole, 1993). En este proceso la música resulta un potente combustible que en un futuro inmediato contribuirá a construir una percepción propia –a la par que compartida por el grupo– de la realidad (Frith, 1987; Martí, 2000; Cook, 2001). Así, el preadolescente se rige por las modas y las tendencias legitimadas por su grupo de referencia, el cual adquiere una importancia central (Stone y Church, 1970). Esta necesidad de establecer unas bases culturales conjuntas se manifiesta en la elección más o menos generalizada de un repertorio musical compartido que permite una vivencia colectiva del fenómeno cultural, actuando como puente entre la vivencia del grupo de referencia familiar y la propia elección adolescente.

Objetivo General

Teniendo en cuenta dicho escenario, nuestro trabajo se centra en el análisis de los comportamientos socio-tecnológicos de los *tweens* post-digitales buscando determinar que poseen unos hábitos de consumo musical propios y diferenciados del resto de colectivos.

Método

Para contrastar nuestra hipótesis hemos utilizado una metodología mixta que incluye encuestas, grupos de discusión, entrevistas y observación a un universo de *tweens* de entre 10 y 13 años de cuatro centros educativos del área metropolitana de Barcelona a lo largo de los años 2013 y 2017[2]. A partir de allí hemos analizado los resultados bajo el prisma que nos ofrece el modelo analítico de Alan Merriam[3], cotejando aquellos elementos que se desprenden del comportamiento de los actores implicados acerca de los

---

[2] Las encuestas y las observaciones fueron realizadas a los alumnos de quinto y sexto curso de primaria de la escuela Els Alocs de Vilassar de Mar (2013) así como a los de quinto, sexto de primaria y primero de ESO de las escuelas Escaladei de Cerdanyola del Vallès (2017) y FEDAC de Santa Coloma de Gramenet (2017). La muestra del estudio es n=170. Todas las encuestas realizadas fueron siempre anónimas, con el consentimiento y autorización de los responsables académicos de los centros implicados. Aunque la muestra contempla también un equilibrio en la paridad de género, este parámetro no ha sido tomado en cuenta para nuestros análisis.

[3] En *The Anthropology of Music* (1964), obra que representa una importante contribución al estudio antropológico de la actividad musical, Merriam propone un modelo analítico basado en la interacción entre tres elementos clave: sonido, comportamiento y conceptualización. Aunque matizado posteriormente por varios teóricos, sigue siendo uno de los modelos más influentes para la etnomusicología actual.

productos que consumen y la conceptualización que de esos comportamientos se puede deducir.

Análisis

Para la gestión de los datos obtenidos se ha creado un modelo de sistematización de los hábitos de consumo *tween* dividido en cinco apartados: temporalidad – frecuencia, permanencia y vigencia; actitud – posicionamiento ante los productos sonoros; socialización – formas de consumo e interacción; soporte y espacialidad – medios de almacenamiento y dispositivos; y aspectos sonoros – características de los objetos sonoros que consumen.

Temporalidad	Frecuencia, permanencia y vigencia.
Actitud	Posicionamiento ante la escucha
Socialización	Formas de consumo e interacción
Soporte y espacialidad	Relación con los soportes, ámbitos y medios.
Aspectos sonoros	Características sonoras de los productos.

Cuadro 1 - Sistematización de los hábitos de consumo musical *tween*

Temporalidad

Uno de los parámetros que nos brinda información sobre la importancia de la música para los *tweens* es la frecuencia de consumo musical. El 52,7% de los sujetos manifiestan escuchar música a diario mientras que el 34,3% declara hacerlo más de cuatro días a la semana[4]. Según el testimonio de los sujetos, la importancia de la música es paralela a la atribuida a los deportes, coreografías y juegos reglados, actividades que les brindan una serie de herramientas para su desarrollo psicosocial vinculadas al establecimiento de normas dentro del grupo. A la par, el alto interés manifestado por las parodias y *contrafacta* así como por las letras con palabras malsonantes nos conduce a pensar que para los *tweens,* el consumo musical funciona en una doble condición: por un lado ofrece una vía epistémica para conocer el entorno y a la vez −al igual que los juegos musicales analizados por Blacking

---

[4] Si bien los sujetos de nuestro estudio quedan excluidos de la "Encuesta de hábitos y prácticas culturales en España" realizada por el Instituto Nacional de Estadística, los datos obtenidos en nuestro trabajo concuerdan con la curva de resultados expuesta en dicha publicación, donde los valores más altos de frecuencia se corresponden con la población de menor edad (14 a 19 años).

(1976)– actúa como espacio para la transgresión de la norma. En este sentido, la alta presencia de contenido sexual –tanto textual como para-textual– esconde una funcionalidad implícita pero relevante puesto que permite al colectivo gestionar la sexualidad a través de la música la cual actúa como herramienta de enculturación. Tal funcionalidad no es exclusiva de los *tweens* y ha sido abordada con anterioridad en objetos de estudio que a priori podrian parecer apartados de nuestro caso; en ese sentido encotramos un ejemplo paradigmático en los repertorios de música popular del siglo XIX, contexto en el cual la música de transmisión oral resulta ser una de las formas más efectivas de enculturación sexual (Ayats, 2010). En cuanto a la permanencia, el 51,1% de los sujetos manifiesta escuchar las canciones enteras, mientras que el 44,3% declara escucharlas algunas veces enteras y otras por fragmentos. En este sentido entendemos que para interpretar dichos datos debemos contemplar que –como observaremos en el apartado de actitud[5]– la mayoría de los sujetos escucha música como actividad complementaria a otra, elemento que condicionaría la permanencia. Consultados puntualmente sobre su actitud cuando "solo escuchan música", las respuestas nos conducen hacia un grado de permanencia menor, sobre todo si la audición no se acompaña del visionado del vídeo. En cuanto a la vigencia, el análisis de los rankings elaborados por los encuestados – contrastado por medio de dos encuestas distanciadas en cinco meses– así como sus respuestas a las preguntas directas, nos demuestran el alto grado de rotación de los productos sonoros de consumo *tween*: las músicas caducan. Así, la velocidad de consumo marcada tanto por el contexto digital como por la relación funcional que los sujetos establecen con los productos sonoros, determina una vida útil muy breve tras la cual son remplazados por otros productos similares que pasan a ocupar la función del objeto primitivo. Esta conducta –poco asumible a priori para otros colectivos donde la música ya forma parte de un claro elemento estructurador de la personalidad y de la identidad– tiene un correlato directo en el aspecto sonoro de los productos que son elaborados con la misma velocidad. Este factor se refleja en elementos como la predominancia de sonidos de librería y la aceptación de ciertos elementos discrepantes que entrarían en conflicto con los valores de autenticidad vigentes en muchas de las estéticas adultas o adolescentes. Por otro lado cabe destacar que existe una relación entre la frecuencia y determinados soportes. El ejemplo más claro es el estéreo del coche familiar: el 95,4% de los sujetos indica que escucha música siempre

---

[5] Cabe destacar que la taxonomía realizada sirve para fines explicativos pero que las relaciones entre los apartados evidencia el alto grado de relación entre todos ellos.

o casi siempre que realiza un desplazamiento. Esta condición genera un espacio particular de confluencia e intercambio entre padres e hijos que merece atención particular en futuras investigaciones.

Actitud

En segundo término, y en cuanto a la actitud, hemos clasificado los tipos de escucha en cuatro categorías: exclusiva – solo escuchar música; inclusiva – escuchar música como actividad paralela o complementaria a otra actividad; social – escucha con otros individuos; y participativa – ejecutar un instrumento, bailar, etc.-.

Categoría		Descripción
Exclusiva		Solo escuchar música
Inclusiva	Ambiental	Como actividad paralela a otras
	Envolvente	Como actividad paralela utilizando cascos
Social	Pares	Compartida por pares
	Inter-generacional	Compartida por sujetos de distintas edades
Participativa		Cantar, bailar, jugar en plataformas...

Cuadro 2 - Sistematización de los tipos de audición musical de los *tweens*

Como avanzamos en el apartado anterior, la modalidad de audición predominante entre los grupos de *tweens* analizados es la inclusiva, es decir, aquella que se realiza mientras se ejecuta una acción principal. A su vez, el 59,5% de los sujetos manifiesta la preferencia por la utilización de cascos, mostrando una tendencia hacia la actitud que denominamos "inclusiva envolvente". Como puede deducirse, tal actitud implica una audición mayormente en solitario a la par que guarda un vínculo estrecho con los soportes predominantes –*smartphones, tablets* y ordenadores– que ofrecen la posibilidad de realizar múltiples tareas simultáneamente[6]. Del mismo modo consideramos que esta actitud guarda relación con las características vinculadas a la espacialidad y la temporalidad. En cuanto a la primera, podríamos considerar que al escuchar con cascos y mientras realiza otra tarea, el sujeto se aísla creando un microcontexto sonoro. Por otro lado, y en relación a la temporalidad, entendemos que la combinación de la burbuja sonora con la utilización de las redes sociales y la participación en entornos inmersivos o virtuales, contribuye a la creación de una nueva temporalidad que muchas veces es sostenida desde un discurso musical basado en melodías breves y repetitivas, clichés armónicos, ausencia de cadencias o rapeos en lengua extranjera. A continuación ubicamos la audición social entre pares; interpelados sobre este aspecto, el 65,7 % de sujetos manifiestan que escuchan música con amigos de manera frecuente o muy frecuente. Observando sus prácticas de compartir auriculares y pantallas podríamos afirmar que –como sostienen De Nora (2014) y Bickford (2014)– esta práctica puede ser reveladora de vínculos y relaciones dentro del grupo. En cuanto a la escucha social intergeneracional, la alta frecuencia de escucha compartida –el 67,9% de los sujetos manifiestan escuchar música con sus progenitores de manera muy frecuente– se vincula predominantemente al ámbito del coche. Según las respuestas, en un 50,4% de los casos la elección de los productos es consensuada y recae sobre las principales cadenas emisoras temáticas de productos *mainstream*[7]. En relación a ello queremos destacar que, si bien las encuestas sobre preferencias revelan algunos casos de influencia de progenitores a hijos,[8] la tendencia parecería mostrar una influencia inversa, de hijos a progenitores. Esta observación coincide con los planteamientos sobre la entrada de los productos creados para el consumo *tween* dentro del *mainstream* planteadas por Bickford (2012). Continuando, si bien a medida que los sujetos participan en actividades musica-

---

[6] Esta actitud está presente también en los adultos, pero tanto el vínculo con el dispositivo desde su condición de "nativos digitales" como el grado de madurez y control real de la tecnología se traducen en un diferencial de dinámicas interesante para futuras investigaciones.

[7] Según las respuestas de los encuestados, las preferencias radiofónicas son altamente coincidentes con los resultados ofrecidos por el Estudio General de Medios de 2017 llevado a cabo por la Asociación para la Investigación de Medios de Comunicación. Así, las radios más escuchadas por los *tweens* son Los 40 principales, Radio Flaixbac y Europa FM.

[8] La presencia de productos editados con más de un año de antigüedad oscila entre el 3,9% y el 7,4%. En estos porcentajes se incluyen tanto los productos sonoros de referencia identitaria del grupo familiar –progenitores y hermanos mayores– como los productos destinados al sector infantil filtrados por los progenitores.

les extracurriculares o se acercan al margen superior del segmento el interés por la escucha exclusiva parece acrecentarse, el tercer orden de preferencia de los sujetos es la escucha participativa. Esta comprende un ámbito amplio que abarca desde aplicaciones como *musical.ly*, los juegos del tipo *Just Dance* o *Rock Band*, hasta la reelaboración de los objetos musicales los cuales muchas veces son incluidos en los juegos de palmas (Campbell, 2010), el canto, la ejecución de coreografías, los cambios de texto o las *performances* privadas de los *Hairbrush concerts* a los cuales refieren Willet (2011) o Bickford (2008). El abandono de estas prácticas puede estar ligado con el paso a la adolescencia, momento en el cual algunas de esas dinámicas funcionales pasan al ámbito de la intimidad.

Socialización

Los hábitos de socialización en la audición musical de los *tweens* son un apartado amplio. En el marco de este estudio nos centraremos en el repertorio y sus vías de acceso, así como en la idea de virtualidad que se manifiesta tanto en la ausencia de consumo de conciertos como en el vínculo con los artistas. En cuanto al repertorio podemos determinar una clara tendencia hacia la variedad y la rotación de los productos. Esta variedad[9] –que en un primer momento podría entenderse como diversidad– no es tal si observamos su relación con la sonoridad y la estética visual de los productos. Tal como veremos en el apartado de aspectos sonoros, el repertorio escogido presenta unas características homogéneas basadas en clichés armónicos, rítmicos, vocales y visuales. Paralelamente, la observación de los resultados de las encuestas realizadas nos demuestra el alto nivel de rotación de los productos musicales de consumo *tween*[10]. Comparando los rankings realizados en 2017 podemos observar que, transcurridos cinco meses, solo un 6% de los productos se mantienen dentro de los mismos. A su vez, observando detenidamente los productos que persisten podemos determinar que su continuidad dentro de la listas se relaciona o bien con que forman parte del acervo sonoro familiar y han llegado por vía de referentes como progenitores y hermanos mayores[11] o bien que los productos han tenido una penetración muy alta desde el mercado y sobreviven en las listas de manera

---

[9] Consultados sobre sus canciones preferidas, tanto el ranking de 2013 como los dos de 2017 ofrecen una extensa lista de más de 200 canciones. Dentro de estas, la suma de las cinco opciones más votadas oscila entre el 35% y el 50% del total de votos.

[10] Para observar la rotación dentro de los rankings en 2017 hemos realizado dos encuestas sobre preferencias separadas por un intervalo de cinco meses.

[11] Canciones como *Back in Black* (AC/DC), *Every breath You take* (The Police) o *We will rock You* (Queen) o *Mi gran noche* (Raphael) son algunos de estos ejemplos.

residual[12]. Cabe destacar que ni la variedad ni la rotación parecen entrar en conflicto con la sensación del colectivo sobre la existencia de un repertorio común. En relación con ello debemos tener presentes las características psicológicas de los *tweens,* para quienes ser parte del grupo es fundamental, con lo cual es muy probable que busquen establecer pautas comunes aunque su aceptación sea, en cierto modo, superficial. Si bien autores como Bickford (2012) se refieren al concepto de "solidaridad" entre artistas emergidos del colectivo *tween* como un símbolo de empoderamiento y, en cierta manera, de establecimiento de unas pautas estéticas conjuntas, consideramos que es prematuro decir que existe una estética *tween.* Desde nuestra perspectiva entendemos que la sensación de comunidad se estructura principalmente sobre la relación que los sujetos establecen con los productos sonoros. Dicho de otra forma, si bien existen elementos sonoros y visuales que interpelan al segmento, entendemos que dada la rotación y la variedad, la pauta conjunta viene dada por la relación funcional que los sujetos establecen con los productos musicales que consumen. Los datos sobre vías de acceso al repertorio refuerzan esta idea: un 29% de los sujetos manifiestan que llegan a los productos por las sugerencias de los amigos o compañeros, mientras que un 25% declara que llegan por la extensión social de la vida real ligada a Internet. Así, la pandilla –real y virtual– selecciona unos productos, los utiliza y los suplanta por otros. Por otro lado, y si bien nos referiremos a las redes al hablar del soporte y las características del medio, entendemos que los hábitos de consumo de los *tweens* han sido interpretados con gran velocidad por la industria. De esta manera, la pandilla tiene su correlato en el denominado fenómeno *feat.*: al igual que los sujetos presentan las músicas a los integrantes de su grupo, los aristas se presentan como un grupo unido, fortalecido por sus relaciones y colaboraciones. De esta manera, el principio de cooperación corporativa se extiende de la formula de mercado a la misma red de consumidores, tejiendo una interesante relación entre herramienta de marketing y herramienta de sociabilización.

Para finalizar este apartado cabe referirnos a la virtualidad. Según los resultados obtenidos, los *tweens* no consumen conciertos en directo o consumen solo aquellos que pasan por el filtro escolar los cuales, en mayor número, no coinciden con sus preferencias. Así su relación con los productos se estructura desde un imaginario de verosimilitud que esta dado tanto por la percepción de la realidad que su madurez psicológica permite como por la funcionalidad con la que se relacionan con los productos. En este punto cabe recordar la ya clásica idea que vincula medio y mensaje. Como si de

---

[12] Despacito interpretada por Luis Fonsi y Daddy Yankee es un ejemplo de ello. La canción que batió records históricos con el mayor número de reproducciones en Youtube –4.541.035.710 a diciembre de 2017– y la que encabezaba el ranking de julio de 2017 con un 20% de los votos apenas recoge un 2% testimonial en el ranking de noviembre del mismo año.

una nueva arista del pensamiento McLuhaniano se tratase, el ahora tan vigente fenómeno de la post-verdad encuentra, en el ámbito *tween,* su correlato sonoro en lo que podríamos denominar "post-verdad musical": el medio utilizado para el consumo compartido de música afecta indudablemente a su condición de herramienta comunicativa y, por extensión, a su capacidad para la construcción de la realidad del usuario. Desde esta perspectiva entendemos que para el *tween,* parte de esa construcción de la realidad viene mediada por la lógica estructuradora del imaginario colectivo y, en esa lógica constructiva, el producto musical y sus dinámicas tecnológico-sociales disponen de un claro valor epistémico.

Soporte y espacialidad

Consultados sobre este aspecto, los datos de la encuesta de Junio de 2017 revelan que el 95% de los sujetos escuchan música en el coche siempre o muy frecuentemente[13]. De esta manera, el aparato reproductor del coche se transforma en el soporte más utilizado. Aun así debe observarse que dicha condición tiene una vinculación estrecha con el ámbito espacial de escucha y con la condición fortuita de la situación. Es decir, podemos saber que siempre que están en el coche escuchan música –predominantemente de la radio– pero no podemos inferir que el reproductor del coche sea el medio preferido, sino del que se dispone por defecto en ese espacio particular. Como contrapartida, cuando la elección del soporte se vincula con la propia gestión del tiempo y espacio, las preferencias de los sujetos se decantan hacia los ordenadores, *smartphones* y *tablets* y por el consumo de contenidos *on-line.* Cabe destacar que en el caso de los dispositivos portátiles, los *smartphone* han desplazado a los reproductores de mp3/mp4 que son utilizados de manera frecuente por apenas un 2% de los sujetos. Este desplazamiento puede tener múltiples lecturas: por un lado una lectura técnica vinculada a la simplificación del acceso a los contenidos que no necesitan ser descargados para su reproducción; por otro lado, una lectura funcional en la cual la portabilidad obligada del teléfono móvil predomina en la elección y por último, pero no menos importante, una lectura social según la cual la posesión de un dispositivo u otro se vincula a la adquisición de estatus dentro del grupo y a la potestad de acceder a ciertos contenidos eludiendo el control parental.

Con relación al formato preferido –audio o vídeo– los resultados obtenidos derrumban una de las ideas que impulsaban originalmente este trabajo, ya que los preadolescentes entrevistados prefieren escuchar a visualizar los

---

[13] Estos datos no difieren con la encuesta de 2013 en la cual el porcentaje de los sujetos que manifiesta escuchar música en el coche siempre o de manera frecuente es del 92%.

contenidos. A raíz de los resultados ofrecidos por las encuestas y las entrevistas se deduce que la aparente predominancia del vídeo –supuestamente reflejada en la preferencia de YouTube como soporte para la reproducción de los contenidos– no guarda una relación directa con las preferencias sobre el formato. Por el contrario, la predominancia de YouTube no radica en su funcionalidad como reproductor de vídeo sino que –dadas las limitaciones de competencias tecnológicas de los sujetos– su uso se explica más bien por su efectividad y velocidad como motor de búsqueda. En concordancia con lo comentado en el párrafo anterior, el sondeo realizado permite determinar que para los adolescentes el vídeo está relegado al cuarto puesto en cuanto a las características determinantes al momento de realizar la elección de sus preferencias, las cuales se articulan principalmente en torno al ritmo (33%) y la letra (23%). En el último término de preferencias en cuanto a soporte encontramos las mini cadenas que, aunque presentes en el 100% de los hogares, no son utilizadas como soporte preferente. En este punto cabe realizar una observación sobre los discos compactos: en el 95 % de los casos los individuos encuestados asocian este soporte con la música infantil[14] y con las músicas propias de la familia. De esta manera asistimos a una fosilización del repertorio contenido en este tipo de soporte.

Por otro lado, y en cuanto a la espacialidad, los datos relevantes no se vinculan con las preferencias de un ámbito espacial u otro –ya hemos comentado la predominancia del coche y la potencialidad de su estudio– sino con el desplazamiento en la funcionalidad de los dispositivos portátiles. Según las opiniones de los individuos, tanto los reproductores de mp3/mp4 como los *smartphones* no parecen ser valorados por su condición de reproductores portátiles –apenas un 10% declara utilizar los dispositivos mientras realiza deporte o se desplaza– sino por la capacidad de crear un propio ambiente espacial vinculado a la burbuja sonora comentada anteriormente y por su condición de puerta de acceso a un espacio libre del control parental. Contenedor y ventana de objetos representativos, en su doble función, los *smartphones* y en menor sentido las *tablets,* son el espacio para almacenar sus objetos musicales preciados y el medio para compartirlos como, cuando y con quien quieren.

Aspectos sonoros

Como avanzamos anteriormente, la homogeneidad y el uso de clichés son características de los productos sonoros de consumo *tween.* En este sentido la velocidad de consumo y de producción, la relación funcional con los objetos y la virtualidad son elementos fundamentales para entender dichas

---

[14] Comprada o descargada por los padres la música infantil en CD atraviesa un control parental. Este filtro acaba siendo decisivo para determinar su condición.

características. Uno de los aspectos sonoros que se relacionan con la velocidad de consumo y producción es la instrumentación. El análisis de los productos que encabezan los rankings[15] refleja el predomino de la utilización de sonidos de librería: se produce rápido porque el producto es de consumo rápido. Como contrapartida, la presencia de instrumentos acústicos –si los hay– queda mayormente relegada a las introducciones y suele desempeñar una función de marcador espacial o étnico. El ritmo y el tempo son también elementos donde la homogeneidad es claramente manifiesta, ya sea por la extensa presencia del patrón de reggaetón o por la predominancia de tempos cercanos al *moderato*. En lo que respecta a la armonía, se observa un predomino de las modalidades menores y de la repetición de esquemas armónicos. Según las respuestas de los individuos, esta homogenización de elementos sonoros –que para otras músicas y/o mercados resultaría un claro inconveniente en términos de estética y autenticidad– no representa un problema para el colectivo sino que, por el contrario, parece ser un elemento facilitador para el consumo rápido. La repetición, la parodia e incluso el plagio, no parecen representar un problema para el colectivo puesto que la relación con los objetos es, como mencionamos reiteradas veces, altamente funcional. En cuanto a la virtualidad, la utilización extendida del *autoune,* pero sobretodo, la clara naturalización en su recepción –como elemento orgánico y no como efecto de contraste estético– nos conduce a la ineludible metáfora entre realidad e hiperrealidad sonora[16]. Entre otras cuestiones, tal razonamiento explica por qué los sujetos conocen el nombre propio y la utilidad del *plug-in* pero su utilización extendida y exagerada no socava en el valor de los productos como sí podría ocurrir en otros colectivos. Para los *tweens* basta que el artefacto sonoro funcione.

---

[15] Los rankings de los sujetos no se alejan de los resultados ofrecidos por tanto por las encuestas de promusicae como por las estadísticas de reproducción de Spotify y Youtube para los diferentes períodos: 2013:1 - Call me Maybe (Carly Rar Jepsen), 2 - Pan y Mantequilla (Efecto Pasillo), 3 - On the Floor (Jennyfer Lòpez ft. Pitbull); Junio de 2017: Despacito (Luis Fonsi Ft. Daddy Yankee), Swalla (Jason Derullo ft. Nicki Minaj & Ty Dolla $ign) 3 - Shape Of You (Ed Sheeran); Novimebre 2017: 1 - Sensualidad (Bad Bunny, Prince Rouce & J. Balvin), 2 - Bailame Remix (Nacho, Yandel & Bud Bunny), 3 - Krippy Kush (Farruko Ft. Bad Bunny).

[16] El término "hiperrealidad sonora" fue propuesto per el neurocientífico Daniel Levitin para definir aquellas "impresiones sensoriales que nunca tendríamos verdaderamente en el mundo real" (Levitin, 2006). Al adoptar esa noción de hiperralidad para la música pop, Levitin (que propone tal relación pero no la desarrolla) nos sitúa ante unos procedimientos que son altamente interesantes de estudiar ya que son del todo inverosímiles desde el punto de vista de la recepción acústica, pero que sin embargo, resultan tremendamente naturales en la recepción sonora mediada tecnológicamente (Roquer, 2018).

Conclusiones

Tras la realización de nuestro análisis podemos concluir que los *tweens* del contexto post-digital poseen unos hábitos de consumo propios y diferenciados de los de otros colectivos contemporáneos. Situados entre la infancia y la adolescencia, los *tweens* muestran aspectos en común con ambos grupos pero no pueden ser englobados en ninguno de ellos. La relevancia que otorgan a la música es una muestra de esta dualidad puesto que, por un lado –desde un posicionamiento más cercano al mundo infantil– actúa como herramienta para conocer el entorno y les brinda un espacio para la trasgresión, mientras que por otro –vinculado en este caso al desarrollo adolescente– les permite encaminarse hacia la construcción de su propia identidad. Otro elemento distintivo es la relación de funcionalidad que los sujetos establecen con los productos sonoros: a diferencia de los niños de edades más tempranas, los *tweens* deciden cómo, cuándo y qué música consumen. Paralelamente, al carecer de lazos de identificación sólidos con la misma –como sí sucede en la adolescencia– deciden también cuándo dicha funcionalidad cesa. Esta circunstancia, que otorga a buena parte de los productos de consumo del colectivo la condición de caducidad, guarda estrecha relación con las características de distribución y sonoridad de tales productos y se hace evidente en la homogenización de recursos (clichés armónicos, rítmicos, de imagen, etc.). A su vez, dicha relación de funcionalidad se manifiesta en la ausencia de conflictos de autenticidad, elemento que se relaciona con la obsolescencia de los productos consumidos.

Referencias bibliográficas

Ayats, J. (2010). Las canciones "olvidadas" en los cancioneros de Cata- lunya: Cómo se construyen las canciones de la nación imaginada. En Jentilbaratz. Cuadernos de Folklore. Vol.12, Nº1. San Sebas- tián.

Aberastury, A., Knobel, M. (1971) La adolescencia normal: un enfoque psi- coanalítico. Buenos Aires: Paidos.

Bennet, H. – Pitman, T. (2001) Pasos y etapas: de 9 a 12 años - La preado- lescencia. Barcelona: Ediciones Medici.

Bickford, T. (2008) Kidz Bop, "Tweens", and childhood music consump- tion. En Consumer, commodities & consumption Vol.10, Nº1, Di- ciembre 2008. Columbia University.

Bickford, T. (2012) The New "tween" music industry: The Disney Channel, Kidz Bop and emerging childhood counterpublic. En Popular Mu- sic. 2012 Vol. 31.3, pp. 417-436.

Bickford, T. (2014) Earbuds are good for sharing: Children's headphones as social media at a Vermont school. En *The Oxford Handbook of Mobile Music Studies*. Vol. 1 pp, 335-356.

Blacking, J. (1973) Fins a quin punt l´home es music?, Vic, Eumo (1994)

Campbell, P.S. (2010). Songs in their Heads. Music and its Meaning in Children's lives. New York, Oxford University Press.

Cascone, K. (2002). The Aesthetics of Failure: "Post-Digital" Tendencies in Contemporary Computer Music. En *Computer Music Journal,* Vol. 24, Issue 4, Invierno 2000 pp. 12-18.

Christenson, P.G. (1998). It's not only rock & roll: Popular music in the lives of adolescents. New Jersey, Hampton Press.

Cook, N. (2001). De Madonna al canto gregoriano. Una muy breve intro- ducción a la música. Madrid: Alianza Editorial.

De Nora, T. (2000) Music in Everyday Life. Cambridge: Cambridge Uni- versity Press.

De Nora, T. (2014) Music Asylums: Wellbeing Through Music in Everyday Life. Londres: Routledge.

Flores Rodrigo, S. (2008). Música y adolescencia. La música popular actual como herramienta en la educación musical. Edición en línea, INJUVE. Recuperado de http://www.injuve.es/conocenos/ediciones-injuve/accesit-premios-injuve-para-tesis-doctorales-2008-susana-flores-rodrigo [Recuperado 7/12/2017].

Frith, S. (1987). Towards an aesthetic of popular music. En R. Leepert y S. McClary (Eds.) *The politics of composition, performance and reception,* pp. 133-172. Cambridge: Cambridge University Press.

Hargreaves, D. y North, A. (1999). The Functions of Music in Everyday Life: Redefining the Social in Music Psychology. Psychology of Music, 27, No. 1, pp. 71-83.

Hargreaves, D. y Lamont, A. (2017). The Psychology of Musical Development. Oxford: Oxford University Press.

Herrera, P. (2009). Música i persuasió. En: VV.AA. La música i el seu reflex en la societat, pp.27-38. Barcelona: Indigestió Musical (Idees per la música, 4).

Levitin, D. J. (2006) This is your brain in music: The science of a human obsession. New York: Dutton.

Martí, J. (2000). Más allá del arte. La música como generadora de realidades sociales. Sant Cugat del Vallès: Deriva Editorial.

Merriam, A. (1964). The Anthtopology of Music, Evaston , Northwestern University Press.

Piaget, J. (1985) De la logica del niño a la logica del adolescente: ensayo sobre la construccion de las estructuras operatorias. Barcelona: Paidos.

Roquer, J. (2018) Sound hyperreality in popular music: on the influence of audio production in our sound expectations. En *Sound In Motion,* Cap. 2, pp. 22-45. Londres: Cambridge Scholar Press.

Silvestre, N. y Sole, M. (1993): Psicología evolutiva. Infancia, preadolescencia, Barcelona: Ediciones Ceac.

Stone, L. y Church, J. (1970): El escolar de 6 a 12 años. Buenos Aires: Horné.

Willet, R. (2011) An Ethnographic Study of Preteen Girls' Play with Popular Music on a School Playground in the UK, en *Journal of Children and Media,* 5:4, 341-357

OTRAS FUENTES CONSULTADAS:

Encuesta de hábitos y prácticas culturales:
    http://www.mecd.gob.es/dam/jcr:a185d7f5-0331-4f8c-90be-
    52b6d4991040/encuesta-de-habitos-y-practicas-culturales-2014-
    2015-sintesis-de-resultados.pdf [Recuperado 19/09/2017].

Resumen general de medios: http://www.aimc.es/egm/datos-egm-resu-
    men-general/ [Recuperado 19/10/2017].

CAPÍTULO II

LA GRABACIÓN SONORA, SU ANÁLISIS PERFORMATIVO Y EL USO POTENCIAL PARA EL INTÉRPRETE COMO FUENTE DE CONOCIMIENTO

Dr. Igor Saenz Abarzuza

Universidad Pública de Navarra, España

Resumen

El cambio de modelo de la industria discográfica, impulsado entre otros aspectos por la superación de la primera brecha digital, ha propiciado un mayor acceso de manera gratuita a plataformas como *YouTube* o *Spotify* y a su extensa biblioteca de títulos. Hoy en día, las grabaciones son junto con las partituras, los dos recursos principales que el intérprete usa al preparar una obra o al profundizar en su interpretación. Para analizar este material sonoro, *Sonic Visualiser* se presenta como una poderosa herramienta computacional en constante progreso y actualización. Este programa permite estudiar cada vez con un mayor nivel de precisión los elementos del sonido que componen una grabación. En cuanto al estudio de los matices agógicos, *Sonic Visualiser* es un programa que saca a la luz información imperceptible a velocidad real, permitiendo insertar *onsets* para medir las duraciones de cada nota o agrupamiento de notas. En las siguientes líneas se presenta el proceso de análisis de una grabación sonora con medios informáticos como herramienta y su posterior proyección en la interpretación. Se realiza un análisis performativo de la *Sarabande* BWV 1011 de la *Suite* Nº 5 para violonchelo solo de J.S. Bach interpretada por Pau Casals y registrada en 1939. Para su discusión, se presenta una propuesta de partitura con una grafía específica con el fin de que otro ejecutante pueda interpretar el modelo de Casals o bien le sirva de idea interpretativa para desarrollar su propia ejecución de una obra que carece de matices dinámicos o agógicos.

Palabras claves

Análisis Performativo, violonchelo, Casals, Sonic Visualiser.

Abstract

The paradigm shift in the recording industry, driven by overcoming the first digital divide, among other factors, has provided greater access to platforms like YouTube and Spotify and to their extensive music libraries free of charge. Today, recordings and scores are the two most important resources the performer uses when preparing a work or studying its performance in depth. Sonic Visualiser is a powerful computational tool for analysing this audio material, which is constantly being developed and updated. This program allows the elements of the sound that constitute a recording to be studied with increasingly greater precision. In relation to the study of tempo marks, the program Sonic Visualiser brings to light information that is imperceptible at real speed, allowing onsets to be inserted to measure the durations of each note or group of notes. This article sets out the process of analysing a sound recording using IT resources as a tool and their subsequent projection in performance. A performative analysis of the Sarabande from J. S. Bach's Cello Suite No. 5, BWV 1011 performed by Pau Casals and recorded in 1939 is thus carried out. A score with precise annotations is also presented so that other performers can play Casals's model or use it as an idea to guide their own performance of a work lacking dynamics and tempo marks.

Keywords

Performative analysis, cello, Casals, Sonic Visualiser.

Introducción

Para poder profundizar en el conocimiento de una obra musical y así tener más recursos para su interpretación, el intérprete debe conocer y manejar diferentes técnicas de análisis musical. La formación tradicional reglada que se ha impartido desde los Conservatorios de Música se ha ocupado principalmente del análisis armónico y de la forma, con técnicas como el análisis funcional o el análisis por grados. De hecho, actualmente el perfil del profesor de análisis en España es el de un compositor o titulado en composición. El ideal sería que, en la formación superior, se introdujeran tantas técnicas como fueran posibles, con el fin de dotar a los futuros intérpretes profesionales de las máximas herramientas para que luego ellos puedan elegir aquellas que más les convengan en cada caso. A este respecto, como señala Andrés (2005: 4), "(...) el estudio de una técnica analítica o la información sobre una metodología de análisis concreta implica, así mismo, la asimilación de unos determinados conceptos que si no se dan en la clase de Análisis, difícilmente serán impartidos en otro espacio académico".

Desde el ámbito académico universitario y dentro de la rama empírica de la investigación musicológica, los *performance studies* se han consolidado como una línea investigadora de primer orden, con diferentes aproximaciones teóricas y prácticas. Alejandro L. Madrid (2009: 2), como editor invitado del N°13 de la revista *TRANS-Revista Transcultural de Música* que dedicó ese número a los estudios de performance, en su artículo, apuntaba lo siguiente:

> De hecho, el estudio de la *performance* ha significado el estudio de una gran variedad de paradigmas del hacer musical; desde las posturas ortodoxas que separan la composición de la interpretación (performance) al cuestionamiento de esta dicotomía, pasando por las especulaciones prácticas y filosóficas surgidas en torno al movimiento de la *performance practice* (práctica de la interpretación) en las décadas del 1970s y 1980s, tanto en la tradición occidental como la no occidental.

Junto a los estudios performativos, el surgimiento y desarrollo de las herramientas computacionales abren nuevas vías de investigación al mismo tiempo que se ajusta la precisión y se simplifica su uso. Marsden (2009, 139-140) afirma que hay tres tipos de contribuciones que las nuevas tecnologías pueden aportar al análisis musical "clásico". La primera es el uso del ordenador para desarrollar y probar una teoría. En este primer caso, si bien puede no ser absolutamente necesario el soporte informático, este le da imparcialidad y precisión en los resultados. La segunda contribución es usar esta tecnología para realizar una tarea de una manera más eficiente y eficaz, en menos tiempo. Se trataría de optimizar el tiempo que requiere esta tarea gracias al uso del ordenador. La tercera contribución requiere el uso del ordenador, para aquellas tareas que son posibles exclusivamente gracias a las nuevas tecnologías, y que serían imposibles de realizar sin ellas. Así, aquí entrarían estudios de un alto nivel de detalle imposibles de realizar por el oído humano sin ayuda computacional. Es en esta última opción donde se enmarca esta investigación de análisis de y para la interpretación.

De esta manera, actualmente el intérprete cuenta con diferentes y variadas herramientas, cada vez más específicas para cada tarea y más precisas gracias a las nuevas tecnologías, que el intérprete/investigador debe seleccionar en función de su objetivo. En este capítulo se ahonda en la idea de que ese conocimiento adquirido de la investigación tenga una proyección en la ejecución.

Acerca del análisis de la interpretación

El análisis de la interpretación debe contemplar fundamentalmente 3 cuestiones: el intérprete, la obra, y la grabación sonora. Para la primera de ellas, el analista debe hacer todo aquello que esté en su mano para conocer al músico objeto de estudio lo mejor posible. En el caso de intérpretes vivos, acceder a ellos sería la opción más directa, pero también puede hacerse un acercamiento a intérpretes ya fallecidos mediante los documentos que se hayan publicado: biografías, artículos de investigación, tesis doctorales, entrevistas, documentales, audiovisuales de ficción, *master classes*, etc. En lo relativo a la obra, el analista debe profundizar también lo más posible en su conocimiento profundo, tanto de las características compositivas de la misma como las del autor/creador y todo lo relativo a la obra en su contexto histórico.

Pero un análisis no puede quedarse ahí. Ya en el año 1996, Jose A. Bowen defendía que el análisis de la interpretación no puede tener como su único objetivo el estudio clásico de aspectos como los estilos, la época y el repertorio, además de las tradiciones interpretativas. A esto añadía Bowen (1996: 35) la importancia que tienen las grabaciones sonoras relevantes, y la labor que el investigador debe hacer para extraer de ellas el conocimiento que pueda transcender. Ya se han cumplido más de 100 años de historia del análisis de las grabaciones sonoras, desde que Eugene Riviere Redervill estudiara el *vibrato* de Fritz Kreisler en 1916 (Leech-Wilkinson, 2009).

Los *software* de análisis de audio tienen cada vez una mayor precisión y facilidad de uso. A esto se le añade una mayor accesibilidad y una mejora en el desarrollo por parte de la comunidad de aquellos programas que con gran acierto se han desarrollado como *software* libres, fomentando el desarrollo del programa con el *feedback* de los usuarios, mayoritariamente la comunidad musical académica.

Entre los diferentes *software* disponibles, destaca el programa libre desarrollado en el *Centre for Digital Music, Queen Mary, University of London* denominado *Sonic Visualiser*. De fácil manejo, no se necesita tener conocimientos específicos profundos para usarlo de manera eficaz como herramienta por parte de intérpretes y musicólogos sin formación específica. El programa se puede implementar con *plugins*, que se han desarrollado (y se siguen creando) por equipos especializados y multidisciplinares de diferentes instituciones de todo el mundo, entre las que se encuentran dos universidades del Estado: la *Universitat Pompeu Fabra* y la *Universitat D'Alacant*.

Aquí cabe puntualizar que un análisis realizado con el apoyo de medios informáticos como *Sonic Visualiser*, debe cumplir con los objetivos del análisis computacional de la música que enumeran Anagnostopoulou y Buteau (2010, 76): como objetivo principal, al igual que en cualquier tipo de análisis musical, debe producir resultados musicológicamente interesantes y relevantes, lo que no es fácil de conseguir a pesar de la obviedad del objetivo. Por otra parte, se debe formalizar un proceso analítico, especialmente en casos como el que se presenta en este capítulo, donde la carga en la toma de decisiones por parte del analista es grande. Habiendo grados de automatización en el análisis musical, Anagnostopoulou y Buteau defienden que un análisis en el que el ordenador es una herramienta es más significativo que uno totalmente automatizado. Otro objetivo que plantean es el apoyo que el análisis computacional debe dar al analista, proporcionándole datos que no serían posibles de obtener de otro modo o difíciles de alcanzar. Habría un cuarto uso, que aquí no se aplica: en esta opción, la música pierde importancia a favor del objeto principal del análisis, que es otro. En este tipo de investigaciones entran las metodologías basadas en algoritmos que buscan desarrollar una aplicación o validar un modelo matemático, entre otras opciones.

Un ejemplo práctico de análisis de la interpretación: la *Sarabande* BWV 1011 interpretada por Pau Casals

Dentro del repertorio estándar del violonchelo, las Seis Suites que compuso Johann Sebastian Bach para instrumento solo ocupan un lugar más que destacado, con 36 movimientos de un altísimo interés musical y técnico. Los estudiantes de violonchelo descubren esta obra en su formación, pero su estudio y análisis les acompañarán durante toda su vida. A falta del manuscrito original del compositor, hoy en día perdido, hay cinco fuentes principales de la obra: la copia realizada por Anna Magdalena Bach directamente del original y fechada aproximadamente entre los años 1727 y 1731, la copia del manuscrito original perdido de Johann Peter Kellner de 1726, una copia anónima de la segunda mitad del siglo XVIII, otra copia anónima de finales del siglo XVIII y una edición datada posiblemente en 1824 publicada en París. De ellas, el manuscrito de Anna Magdalena Bach es el que se toma como referencia por tratarse de una copia directa hecha por una gran copista y que tuvo un contacto directo con el compositor, su marido. Actualmente, todas estas partituras son accesibles y gratuitas gracias a *The International Music Score Library Project* (IMSLP) bajo la licencia *CreativeCommons Attribution-ShareAlike 4.0 International* (CC BY-SA 4.0).

Uno de los aspectos que representa un mayor reto para el intérprete es la total ausencia de indicaciones dinámicas o agógicas en la partitura. Ante esta falta de orientación en este sentido por parte del compositor, "encontrar el diseño se convierte así para el intérprete en un desafío fundamental" (Blum, 2000: 149).

Si a partir de los años 60 del siglo pasado se empezó a investigar y practicar la interpretación historicista o *Historically Informed Performance* (HIP), aquella línea de investigación que toma como fuente las grabaciones sonoras ha sido denominada *Recorded Informed Performance* (RIP). Así, el objeto de análisis pasa a ser el archivo fonográfico y/o audiovisual como fuente de conocimiento para el intérprete musical. Como ejemplo significativo de una investigación sobre una interpretación RIP, Daniel Leech-Wilkinson (2015) desarrolló un interesante estudio de la interpretación musical que Alfred Cortot registró en 1920 de la *Berceuse* Op. 57 de Frédéric Chopin. Como herramienta de análisis utilizó el programa *Sonic Visualiser*. Por la imposibilidad de extrapolar mediante el análisis de una sola pieza pautas sobre la manera de interpretar de Cortot (lo que no era tampoco su objetivo), Leech-Wilkinson deja planteadas una serie de reflexiones finales tanto sobre la interpretación registrada como sobre el propio proceso de análisis (2015: 344-345), además de mostrar una metodología de análisis válida no solo para la obra y el intérprete estudiado, sino extrapolable a otra obra y a otro intérprete, con las adaptaciones necesarias.

A continuación, se presenta un extracto de un análisis de la interpretación que parte de la versión grabada por Pau Casals en las Seis Suites para violonchelo solo de J.S. Bach. Como defendía Casals, el análisis previo a la interpretación de una obra es fundamental si se quiere profundizar en aspectos interpretativos musicales (Corredor, 1975: 223). Añadir que esta grabación de las Suites es la primera que se hizo de la integral de la obra entre los años 1936 y 1939, y fue (y sigue siendo) referencia para toda una generación de músicos. Casals fue uno de los músicos más importantes del siglo XX, violonchelista, compositor, director de orquesta y de un marcado perfil humanista (la lucha por la paz) y político (especialmente la defensa de Catalunya como nación) totalmente comprometido con el tiempo que le tocó vivir. Fue también el primer concertista de violonchelo profesional, ya que básicamente se dedicó a eso, todo un "virtuoso ambulante" (Baldock, 1994: 66). Se trata de "un músico hasta cierto punto autodidacta y sin un claro predecesor, el español Pau Casals" (Kaufman, 2015: 69). Sus biografías, la mayoría hagiográficas, han difundido una imagen de Casals distorsionada, la del artista ilustrado y humanitario (Lazo, 2017: 199). Por ello, queda pendiente una biografía que muestre una imagen realista de Casals para revalorizar tanto a la persona como al músico. Esto alentará la producción de más trabajos académicos, que son insólitamente escasos para un músico de la envergadura de Casals.

En cuanto a los aspectos musicales destacables como intérprete de violonchelo, cabe destacar el especial uso del *rubato* que dejó registrado, revolucionario en su época y que marcó a toda una generación. Este especial uso de los matices agógicos hace que Casals sea un intérprete idóneo para averiguar la flexibilidad rítmica que realiza en su interpretación de una obra para instrumento solo donde, en muchos movimientos, la variedad en el uso de valores rítmicos es escasa. Como señala Llorens, "uno de los elementos más destacados en las descripciones del estilo interpretativo de Pau Casals es el denominado *tempo rubato* (...)". Además del legado audiovisual del que disponemos para apreciar esta característica, "los comentarios sobre su forma de tocar y enseñar subrayan, además, la existencia de un "sentido de la proporción" que aparentemente gobernaba su empleo del *rubato*" (Llorens, 2015: 42). Sus biógrafos dan buena cuenta de ello, destacando la flexibilidad rítmica en la interpretación como uno de sus pilares estilísticos. Es en esta característica del sonido y de la música en la que se centra esta propuesta de análisis de la interpretación, la flexibilidad rítmica en la interpretación de Casals.

Método y proceso de análisis

A continuación, se detalla un ejemplo a partir de la *Sarabande* BWV 1011 de la 5ª Suite para violonchelo solo de J.S. Bach y del método de análisis de la interpretación que fue presentado en profundidad en la tesis doctoral de Saenz (2017a). Lo que se muestra aquí es un ejemplo comentado de parte de los datos que potencialmente un análisis así puede proporcionar.

La *Sarabande*, al igual que los movimientos de danza de las Suites, tiene una forma clara y sencilla que consta de dos partes que se repiten: AABB. En este movimiento hay únicamente dos combinaciones de valores rítmicos: 4 corcheas y 1 negra o 6 corcheas. Tan solo en el final de la primera parte se puede observar una blanca con puntillo. La armonía es indefinida en algunos momentos por ser una obra construida sobre una sola línea melódica sin acordes, como único caso dentro de los 36 movimientos del total de las Suites. De las 108 notas que tiene la partitura, 100 son corcheas. Como las dos partes se repiten, son en total 216 notas de las cuales 200 son corcheas. Como se puede ver, hay una clara recurrencia de la corchea como valor rítmico. La sencillez de la obra se vuelve un reto para el violonchelista, porque si bien el resultado sonoro debe respetar lo que está escrito, debe también ofrecer variedad para evitar que suene monótono y perder la atención del oyente. Estas características que tiene la *Sarabande* BWV 1011 la hacen idónea para estudiar la interpretación de la flexibilidad rítmica en la interpretación.

Para el estudio del *rubato* en la grabación sonora que Casals registró de la obra en el año 1939, se ha usado *Sonic Visualiser*. Teniendo en cuenta el tipo de información que se quería obtener para su análisis, no ha sido necesario el uso de *plugins*. Se han usado fundamentalmente dos de las características básicas que el programa ofrece: la rueda de velocidad, que permite bajar la velocidad de una grabación sonora hasta un 12,5% sin que por eso se altere la altura o la proporcionalidad entre los valores de tiempo de la grabación a velocidad real, y la herramienta que permite insertar una marca de ruido u *onset* en cada cambio de nota, para así poder medir cuánto dura cada una de las notas de la obra. Gracias a la herramienta de control de la velocidad (y con mucho trabajo), el analista puede determinar con gran precisión los cambios de nota. A pesar de estas facilidades que el programa ofrece y que permiten hacer un tipo de análisis imposible de llevar a cabo sin el soporte informático, se considera más que recomendable que el analista sea especialista en el instrumento estudiado por la cantidad de variables instrumentales que interfieren a la hora de decidir dónde acaba una nota y dónde comienza la siguiente. Como salvedad, tratándose de un violonchelo en este caso, un violinista, violista o contrabajista podría igualmente comprender los entresijos de la familia de la cuerda frotada. Pero, en última instancia, es el especialista el que mejor conoce las peculiaridades de su propio instrumento, pudiendo evitar errores en una colocación de los *onsets* que ya de por sí requieren para su correcta disposición de un oído experto y una justificación.

A partir del dato de la duración de cada una de las notas, con una hoja de datos se puede obtener más información para comprender qué se realiza a diferentes niveles: en el caso de la *Sarabande*, algunos datos que pueden resultar interesantes son la duración de los pulsos, la duración total del compás, la frase, el promedio de duración de los valores rítmicos de corchea y negra en cada parte y en el total de la obra, las desviaciones que cada nota o agrupación tiene sobre ese promedio, etc. Si bien el tiempo que hay que invertir para colocar correctamente los *onsets* y posteriormente cruzar esos datos para obtener toda esta información es muy grande, los datos no son ni mucho menos el final del proceso de análisis: el analista debe interpretarlos y comentarlos teniendo en cuenta al músico y a la obra, para así extraer conclusiones. Del análisis de la interpretación que resulta de este proceso, y con el objetivo de que este análisis sirva a su vez para tocar, los datos tienen que tener una traducción clara y sencilla a la partitura. Por ello, se propone simplificar a dos grafías toda esta información y así posibilitar la interpretación poniendo el foco en la flexibilidad rítmica.

Una vez más, insistir en lo costoso del proceso: la cantidad de datos manejados es enorme: a modo de ejemplo, solo la tabla principal de datos extraídos de *Sonic Visualiser* sobre la *Sarabande* y cruzados en una hoja de datos tiene 2.579 casillas. Para ver cómo se trasladan esos datos a la grafía que se podrá ver más adelante, se muestra un ejemplo sobre el primer compás de la *Sarabande* con algunos de sus datos para la discusión, tanto en su primera interpretación como en la repetición. Como se puede observar en esta primera tabla, se presentan los datos extraídos directamente de *Sonic Visualiser*, la duración de cada una de las notas acotada al milisegundo. Como información complementaria, se incluye una columna con la diferencia de la duración entre la primera interpretación y la repetición. Si el valor está en positivo, significa que la primera interpretación tiene una duración mayor. En negativo, es la repetición la que dura más:

Nota	Duración 1ª	Duración 2ª	Diferencia duración
Sol	1,285	0,931	0,354
Mi b	0,647	0,589	0,058
Si	0,702	0,722	-0,02
Do	0,626	0,612	0,014
La b	1,808	1,657	0,151

Tabla 1: duraciones del primer compás, nota por nota

Los pulsos, sumando las notas correspondientes a cada uno de los tres que hay por compás, tienen la siguiente duración, diferenciando primero entre la primera interpretación y la repetición:

Pulso	Duración 1ª	Duración 2ª	Diferencia duración
1	1,932	1,520	0,412
2	1,328	1,334	-0,006
3	1,808	1,657	0,151

Tabla 2: duraciones del primer compás, pulso

En cuanto al compás, la duración es de 5,068 en la primera interpretación, 4,511 en la repetición y una diferencia entre ambas de 0,557.

A la hora de interpretar estos primeros datos, en un movimiento de danza como es la *Sarabande*, un buen punto de partida es conocer las medias de duración de cada valor rítmico. En la siguiente tabla, se puede ver la siguiente información: el promedio del valor rítmico de negra, corchea, el promedio del pulso y del compás en la primera interpretación (1ª) y en la repetición (2ª), el promedio total de la obra en su conjunto, y la diferencia que hay entre los promedios de la primera interpretación y los de la repetición. Como puede verse, esta diferencia está por debajo de 0,0 segundos en todos los casos, por lo que este estudio pone su foco en la micro-agógica. Así pues, como puede observarse en la tabla, destaca la escasísima e imperceptible diferencia de duraciones de las negras y corcheas, con una diferencia de 3 milisegundos en las negras y de 6 en las corcheas. Este dato resulta especialmente notable en una obra de tal volumen de notas:

Valor	Promedio 1ª	Promedio 2ª	Promedio total	Diferencia promedio
Negra	1,564142857	1,560857143	1,5625	0,003285714
Corchea	0,65481	0,64792	0,651365	0,00689
Pulso	1,363631579	1,34877193	1,356201755	0,014859649
Compás	4,1069	4,055225	4,0810625	0,051675

Tabla 2: duraciones del primer compás, pulso

Con estos datos, se puede valorar si la duración de cada una de las notas y sus agrupaciones es "larga", o "breve". Dado que se trata de una simplificación a tan solo dos valores de todo el detalle de los datos, esta clasificación debe hacerse con flexibilidad y sentido crítico, para que dos notas separadas por escasos milisegundos (lo que vendrían a ser iguales en la percepción a velocidad real) no puedan ser interpretadas como una "larga" y la otra "breve". La carga subjetiva de la simplificación puede solucionarse proporcionando los datos y justificando las decisiones, para que así otro analista pueda, si lo cree preciso, hacer una matización justificada de alguna grafía.

Los 4 primeros compases de la *Sarabande*

En la siguiente imagen, se puede ver la partitura de los 4 primeros compases de la obra. La partitura se presenta por duplicado, ya que cada una de las líneas corresponde a la primera interpretación y a la repetición respectivamente. Debajo de la partitura, se puede observar un semicírculo cuando esa nota o agrupación es "breve" y una raya cuando es "larga", lo que viene a ser la grafía propuesta por Cooper y Meyer aplicada exclusivamente a las duraciones. Los cuatro niveles son: nota-por-nota (rojo), pulso (amarillo), compás (verde), frase (azul). Los datos previos eran únicamente del primer compás, pero de este modo puede verse el cuarto nivel, referido a la frase de 4 compases:

compases 1 a 4 de la *Sarabande* BWV 1011

Este tipo de material, intenta responder a la pregunta que el intérprete se hace al encontrarse la partitura: *¿cómo debo interpretar la Sarabande?* La respuesta, o al menos el camino hacia su propia respuesta se la da el análisis performativo, en este caso, un análisis para la interpretación que tienen su base en un análisis de la interpretación de Pau Casals.

La interpretación de los datos completa y su traducción en esta grafía justificada está en Saenz (2017a: 311-375), demostrando que la decisión que lleva a la colocación de las cuatro líneas no es arbitraria. En última instancia, la vocación de un material de este tipo es que no sea necesaria una explicación para interpretar, pero que la justificación esté redactada y sea accesible por si el intérprete la quiere consultar. En cuanto a la partitura, el ejecutante puede seguir la línea que desee explorar, e interpretar como se ha explicado antes esa nota o agrupación de notas como "larga" cuando haya una raya horizontal o como "breve" cuando se encuentre con un semicírculo. De este modo, seguir una de estas líneas responde a un modelo de interpretación siendo un punto de partida que responde a la pregunta antes expuesta. Pero, al tocar este material, a su vez el ejecutante está creando otra nueva propuesta de interpretación.

Del análisis de la interpretación al análisis para la interpretación

Ya de por sí el material resultante tiene suficiente entidad como para determinar su valía como herramienta eficaz para el análisis de la interpretación. Lo que se propone aquí es afianzar la potencialidad interpretativa y creadora a su vez que tiene este material, siempre partiendo del proceso anterior, el análisis de la interpretación de, en este caso, Pau Casals.

En definitiva, se trata de proporcionar una guía al intérprete. Al ser una obra para instrumento solo, la aparente libertad se convierte en muchos casos en una falta de guía que, en vez de proporcionar más opciones, hace que algunos intérpretes se vean sobrepasados y busquen ayuda en un profesor. No se trata ni mucho menos de sustituir al profesor, sino de dar una herramienta que ayude y que no sea una idea del editor, sino un análisis profundo basado en la primera y una de las más relevantes grabaciones de las Suites de Bach. Entre los análisis de la obra que se encuentran disponibles, cabe destacar el realizado por el músico e investigador Allen Winold (2007), que publicó dos volúmenes en los que analiza de una manera concienzuda y teniendo en cuenta el contexto, la armonía, la forma, la conducción de líneas, los adornos, los gestos, etc. En definitiva, un análisis de la composición, que claramente sirve para la interpretación, pero que no analiza la interpretación.

Como se ha visto, la partitura con la grafía simplificada acompañada de una pequeña leyenda o una escueta explicación, se puede decir que sirve para tocar de manera directa, es su objetivo directo. Sobre los objetivos que puede cumplir este material, el primero y natural podría ser emular el *rubato* de Casals, ya que parte efectivamente del análisis de la interpretación de este ejecutante. Pero, como se ha apuntado, desde el momento que otro violonchelista está siguiendo una de las líneas, está creando una nueva interpretación, ante la imposibilidad de tener en cuenta a tiempo real y sin errores, las 4 líneas de Casals. Hay que tener en cuenta que tampoco se están apuntando aspectos fundamentales de la interpretación como el sonido, la entonación/afinación, los matices dinámicos, las arcadas, la digitación, el *vibrato*, etc. Lo que esta información aporta sobre la partitura de Bach es un modelo de interpretación del *rubato* a partir de una idea de interpretación magistral, de la que el violonchelista que busca su interpretación puede partir para construir la suya propia.

Conclusiones

Hacer un análisis de este tipo mediante *Sonic Visualiser* insertando *onsets* de manera manual cuesta mucho tiempo, es laborioso y tremendamente complicado. Por ello, realizar, por ejemplo, un análisis de los 36 movimientos de las Seis Suites, sería una tarea que llevaría toda una carrera de un investigador, con los medios actuales. Ni qué decir lo costoso que sería analizar un número de versiones de las Suites importante, con el fin de realizar un análisis comparado. Por todo esto, la generalización sobre pautas de interpretación no es posible con el análisis de un solo movimiento, y es por eso que es un objetivo que ni siquiera se plantea. Entonces, ¿qué utilidad tiene? Además de facilitar un movimiento con una guía, lo realmente interesante es el propio proceso de análisis: el descubrimiento de pequeños (o grandes) hallazgos analíticos como la proyección del sonido que tiene cada nota (Saenz, 2017b), la reflexión que el analista/intérprete realiza en el proceso de análisis, las continuas decisiones que tiene que tomar, la minuciosidad con la que debe estudiar la obra a un nivel micro-agógico, etc. No en vano, la experiencia artística es entendida como una forma de reflexión (Klein, 2010: 5), premisa que poco a poco va calando también en el ámbito de la musicología en España. Cada vez hay más trabajos de intérpretes/investigadores o de compositores/investigadores en esta línea, donde el proceso es el punto de interés principal. Como ejemplo, recientemente el compositor Joseba Torre (2017) leyó en la Universidad Pública de Navarra su tesis doctoral donde reflexiona sobre el proceso compositivo y creativo de una obra suya.

Como conclusión, un método de análisis como el que se ha presentado aquí obtiene resultados musicológicamente interesantes, hay un proceso analítico donde las decisiones tomadas se explican al detalle y, como posibilidad opcional, tiene una aplicación directa en la interpretación musical. Pero en definitiva, aquí el proceso es tan interesante o más interesante que el resultado. *Sapere aude.*

Referencias bibliográficas

Anagnostopoulou, C. y Buteau, C. (2010). Can computational music analysis be both musical and computational? *Journal of Mathematics and Music*, 4 (2), 75-83.

Andrés, M. (2005). Algunas cuestiones sobre la enseñanza de análisis en conservatorios a partir del modelo etnomusicológico de Timothy Rice. *AIBR. Revista de Antropología Iberoamericana*, 42, 1-18.

Baldock, R. (1994). *Pau Casals*. Barcelona: Paidós testimonios.

Blum, D. (2000). *Casals y el Arte de la Interpretación*. Barcelona: Idea Books.

Bowen, J.A. (1996). Performance Practice Versus Performance Analysis: Why Should Performers Study Performance. *Performance Practice Review*, 9 (1), 16-35.

Kaufman, G. (2015). Pau Casals: el artífice del violoncello moderno. *Quodlibet*, 58, 68-80.

Klein, J. (2010). *What is artistic research?* Recuperado de https://www.researchcatalogue.net/view/15292/15293 [Recuperado 8/12/2017].

Lazo, S. (2017). "Music for Progress": A Study of Pau Casals's Music Institutions in Puerto Rico as an Extension of US Neocolonialism. *Latin American Music Review*, 38 (2), 185-211.

Leech-Wilkinson (2009). The Changing Sound of Music: Approaches to Studying Recorded Musical Performances. *AHRC Research Centre for the History and Analysis of Recorded Music*. Recuperado de http://www.charm.rhul.ac.uk/studies/chapters/intro.html [Recuperado 5/12/2017].

Leech-Wilkinson (2015). Cortot's Berceuse. *Music Analysis*, 34 (1), 335-363.

Llorens, A. (2015). Midiendo el tiempo en la Sonata para cello y piano en Fa mayor, Op. 99, de Brahms. Casals y una variedad proporcionalmente controlada. *Quodlibet,* 58, 42-66.

Madrid, A.L. (2009). "¿Por qué música y estudios de performance? ¿Por qué ahora?: una introducción al dossier. *TRANS, Revista Transcultural de Música*, 13, 1-15.

Saenz, I. (2017a). Pau Casals y el uso de la agógica. Un estudio analítico a partir del Prélude BWV 1007 y la Sarabande BWV 1011 de las Suites para violoncello Solo de J.S. Bach. *Revista de Musicología*, 40 (1), 312-319.

Saenz, I. (2017b). Nuevas herramientas computacionales para el análisis de la interpretación musical. Estudio de las prolongaciones de sonido en el Prélude BWV 1007 de Bach por Casals. *Sonograma Magazine*. Recuperado de http://sonograma.org/2017/04/herramientas-computacionales-analisis-interpretacion-musical/ [Recuperado 8/12/2017].

Torre, J. (2017). *Kantuz. Composición e investigación del proceso creativo de una obra musical para solista y orquesta*. Pamplona: Universidad Pública de Navarra.

Winold, A. (2007). *Bach's Cello Suites. Analyses and Explorations*. Bloomington: Indiana University Press.

CAPÍTULO III

EL SONIDISTA, LA TECNOLOGÍA Y SU PAPEL COMO SUJETO DE ARTE

Juan Pablo Castillo Croes

Universidad Central de Venezuela, Venezuela

Resumen

El inicio de la era digital en las producciones musicales ha traído innumerables cambios a la industria. Actualmente contamos con herramientas de *software* muy sofisticadas para el procesamiento de audio, que permiten una manipulación del sonido impensable en el período precedente. En la era analógica, las herramientas estaban limitadas al *hardware* disponible. Pero la democratización de las herramientas de edición y el procesamiento de audio en la era digital ha hecho que los sonidistas tengan a la mano posibilidades técnicas casi ilimitadas, con capacidad para ofrecer acabados múltiples a los materiales con los cuales trabaja, influyendo así de manera determinante en la interpretación y estética del producto final.

Nuestra propuesta consiste en someter a pruebas empíricas la aserción de que el sonidista aporta significados sustantivos al registro sonoro, que deben tomarse en cuenta a la hora de evaluarlos. Sustentados en las teorías de Kress y Van Leeuwen (2001) y Chion (1993), diseñamos y aplicamos un experimento a un ciclo de conciertos donde realizamos personalmente la ingeniería de PA y las grabaciones. A cada registro sonoro le aplicamos distintas técnicas de postproducción, a fin de comparar los resultados. La muestra consistió en doce registros, de cada uno de ellos hicimos dos versiones. Esto nos permitió no sólo evaluar la capacidad de la tecnología actual para transformar dramáticamente un registro sonoro ya realizado, sino demostrar que el estudio de sonido se ha ido convirtiendo en un instrumento musical en sí mismo (Corey, 2010; Bates, 2012). El sonidista adquiere así capacidades expresivas que lo sitúan en el mismo rango de un artista sonoro, un director de orquesta o un músico más en la construcción de la obra musical.

Palabras Claves

Postproducción de sonido, edición digital, audiovisión, acusmática, estética musical.

Abstract

The beginning of the digital era in musical productions has brought endless changes to the industry. Today there are very sophisticated software tools for processing audio, which allow sound to be manipulated in a manner that was unthinkable in the previous period. In the analogue era, the tools were limited to the hardware available. But the democratization of tools for editing and processing audio in the digital era has meant that sound engineers have almost unlimited technical possibilities at hand, with the capacity to provide multiple finishes to the materials with which they work, thus having a decisive influence over the performance and aesthetic of the final product.

This study consists of empirically testing the assertion that sound engineers bring substantial meanings to sound recordings, which should be taken into account when evaluating them. Based on the theories of Kress and Van Leeuwen (2001) and Chion (1993), an experiment was designed and applied to a concert series in which the present author personally did the PA engineering and made the recordings. Different postproduction techniques were applied to each sound recording, in order to compare the results. The sample consisted of 12 recordings and two versions of each were made. This not only allowed for an evaluation of the capacity of current technology to dramatically transform a pre-existing sound recording, but to demonstrate that the study of sound has gradually become a musical instrument in itself (Corey, 2010; Bates, 2012). Sound engineers thus acquire expressive skills that place them on an equal status as sound artists, conductors or other musicians in the construction of musical works.

Keywords

Sound postproduction, digital edition, audio-vision, acousmatic sound, musical aesthetics.

Introducción

A lo largo de la historia de la producción musical, se han desarrollado algunas tendencias o metodologías de importancia. Una de ellas es la creada por Phil Spector, llamada *Wall of Sound*, que fue desarrollada en la década de 1950- 60, en los Gold Star Sound Studios de Los Ángeles. Se considera a Spector como el pionero en pensar al estudio de grabación como un instrumento musical (Buskin, 2007). La metodología que desarrolló consistía en grabar múltiples capas de sonido de un mismo instrumento. Hacía de una banda de rock una pequeña orquesta sinfónica, por lo que él mismo decía estar dando un enfoque *Wagneriano al Rock and Roll* (Ribowsky, 2000: 3). Era la época de los sistemas monoaurales y el gran acierto de Spector fue lograr un sonido excepcional con una profundidad de la que carecían las grabaciones de su tiempo. En pruebas realizadas comprobamos que, cuando eran escuchadas en modo estereofónico, se perdían los planos sonoros e inclusive se cancelaban algunas frecuencias.

Con el paso del tiempo y el desarrollo de las tecnologías de la grabación y postproducción, se fueron concretando otras tendencias que denotaron identidades específicas y diferenciables entre ellas. En general este proceso se desarrolló desde el grabador de cinta *Ampex 350* de tres canales que usó Spector en *Wall of Sound* (Busking, 2007), al grabador de cintas de cuatro canales, seguido por lo que se convirtió en el grabador de cinta estándar de 24 canales o dos pulgadas, pasando por el *Adat*, hasta llegar a la grabación por computadoras en los que se dispone de canales ilimitados (dependiendo del *software*); de tener solamente disponibles ecualización, compresión y *delay* de cintas (Owsinski, 2006: 3) a las prácticamente ilimitadas suites de *plug-ins* de la actualidad. Esta evolución contribuyó a la formación de tres tendencias principales: Nueva York, Londres y Los Ángeles (Owsinski, 2006: 4).

Pero Los Ángeles del que habla Owsinski difiere mucho del de Phil Spector. La sonoridad desarrollada en *Wall of Sound* era una suerte de intermedio entre la negritud del *Motown* de Memphis y la esfera blanca de Los Angeles (Ribowsky, 2000: 1). En cambio la tendencia predominante actualmente, es un sonido bastante natural, menos comprimido que el de Nueva York y con menos capas de efectos que el de Londres. Su objetivo se centra en la captura fiel de los eventos musicales para luego aumentar un poco esa realidad (Owsinski, 2006: 4). La desarrollada en Nueva York, es mucho más comprimida y agresiva, en ella se utiliza lo que se conoce como *New York Compression Trick* (Owsinski, 2006: 4) o compresión paralela. La otra metodología de mezcla fue la desarrollada en Londres. Su distinción de las anteriores se aprecia mediante el uso de múltiples capas de efectos. Se utiliza extensamente el recurso de los planos sonoros y cada instrumento parece estar dentro de su propio entorno (Owsinski, 2006: 4). A su vez, se desarrollaron otros estilos regionales que comenzaban a amalgamar las técnicas y metodologías de trabajo de los tres grandes centros de producción. Fueron esos los casos de Filadelfia, Ohio, Miami, San Francisco y Nashville (Owsinski, 2004), así como de Memphis y Chicago (Bates, 2012: 21). Los estudios dependieron de su ubicación geográfica, lo que les facilitaba la obtención de unos equipos sobre otros, variando inevitablemente sus configuraciones y por consiguiente, las metodologías de trabajo que utilizaban.

Las diferencias entre tendencias comenzaron a desaparecer alrededor del año 2001- 2002 principalmente por la accesibilidad a las nuevas herramientas de *software,* que comenzaron a popularizarse con la masificación de internet y el acceso a las tecnologías de información y comunicación: "the explotion of digital file sharing" (Fouché, 2012: 519), "the shift cost-cutting just-in-time manufactuturing techniques" (Théberge, 1997; citado en Bates, 2012: 18), "and the widespread avaibility of affordable home computers" (Bates, 2012: 18). Estos cambios consolidaron el uso de las herramientas digitales en la producción musical. Rayvon Fouché (2012) reflexiona sobre las consecuencias ocurridas en la comunidad del hip-hop en Estados Unidos. Uno de los elementos que causó mayor impacto fue la aparición del *hardware Pioneer CDj-1000* o programas como el *Serato Scratch Live* o el *FinalScratch*, lo que planteó desafíos ya que parte de su identidad se basaba en el uso de los vinilos y tocadiscos y el respeto a la historia que estaba vinculada a estos aparatos tecnológicos: "The development, reception, and integration of digital vinyl systems illustrates how technological tension between conceptions of hip hop culture, identity and authenticity can be resolved by a mediating technology" (Fouché, 2012: 506).

Los cambios tecnológicos pueden representar puntos de inflexión en comunidades musicales o artísticas. Estos podrían generar fisuras en dichos grupos dependiendo del acuerdo que se genere en torno a la pertinencia o no de estos cambios y su postura ante las nuevas tecnologías. Podemos suponer que estas contradicciones fueron evidentes en otros ámbitos y comunidades de la producción musical. Ahora podíamos acceder a las herramientas mediante una descarga de internet, sin embargo, el cambio de lo físico a lo digital fue un impacto para los usuarios.[17] Parte del vínculo con lo sonoro, residía en el aspecto físico de los aparatos y la posibilidad de verlos y tocarlos. Asimismo, otros aseguraban que aquellos que se negaban a asumir los adelantos tecnológicos se quedaban en la nostalgia de los tiempos pasados y que éstos debían modernizarse: "The language of the digital revolution speaks to a disappearing analog past. Digital rethoric is put into direct opposition to analog" (Fouché, 2012: 513). Por el contrario, se da el surgimiento de comunidades *vintage*, aquellos amantes del sonido analógico, de los vinilos y de los procesadores de *hardware* del pasado, pese a la noción instaurada del *crossover* (Fouché, 2012: 513).

Los nuevos procesadores de *software* se desarrollaron en dos grupos principalmente, los llamados *DAW (Digital Audio Workstation)* y los llamados *plug-ins*. Los *DAW* son aquellos en los que podemos realizar tareas generales de producción musical. Estos mismos hospedan a los *plug-ins*, pequeños programas complementarios que se adicionan para realizar tareas específicas. Estos últimos sustituyen a los procesadores de *hardware* como compresores, ecualizadores, compuertas, etc. En su evolución, han ido emulando a sus predecesores de *hardware*, desarrollando interfaces muy parecidas a sus pares analógicos e inclusive imitándolos:

> [...] its important to take a step back and study the moments before we emerge into digital convergence to understand how digital technologies are not just replacing analog technologies or convergin but are also very accurately simulating analog devices (Fouché, 2012: 513).

En este sentido, las tecnologías en las cuales está presente la sinergia entre lo analógico y lo digital, tienen la potencialidad de mantener las identidades colectivas e individuales de los grupos que las utilizan. Esto puede estar dado tanto por su interfaz de uso como por el resultado de su procesamiento, por lo que podemos entender este giro en la tendencia.[18]

---

[17] Como asegura, estos cambios trajeron ciertas posturas en comunidades musicales que cuestionaban el uso de las nuevas tecnologías. Nos parece curioso, que parte de la oposición a lo digital fue la perdida de materialidad de las herramientas: "[...], once one enters the digital realms, the music/ sound loses its visible and tactile qualities. The sonic information is now housed in a series of black boxes [...]. The transition from analog to digital reframed the understood materiality of sound [...], precipitated a small but meaningful rift within certain subcommunities [...]. The factions constructed boundaries of authenticity around the appropriate or inappropiate use of technological artifacts (Fouché, 2012: 512).

[18] "[...] technologies that exploit the synergies between analog and digital have the potentially preserved collective and individual identities while maintaining user tactile and mechanical control" (Fouché, 2012: 514).

Objetivos Generales

Producir un disco antológico de las temporadas 2015 y 2016 del ciclo de conciertos Noches de Guataca.

Objetivos específicos

Seleccionar un conjunto de doce piezas de las temporadas 2015 y 2016 del ciclo de conciertos Noches de Guataca.

Describir los procesos técnicos operados y la metodología seguida para registrar el sonido directo y para la postproducción.

Re-mezclar la selección aplicando la metodología desarrollada.

Comparar los resultados obtenidos entre la primera y la segunda mezcla de las grabaciones seleccionadas.

Puntualizar el papel del sonidista como sujeto de arte en las producciones musicales, específicamente en el ciclo Noches de Guataca.

Método

El ciclo Noches de Guataca es una iniciativa que tiene como objetivo crear espacios para las nuevas propuestas de músicos venezolanos y apoyar su desarrollo. Está centrada principalmente en aquellas propuestas de raíz tradicional, jazz y fusión. Nuestro periodo de actividad fue de cuatro años. Durante este tiempo tuvimos que desarrollar una metodología de trabajo que se adaptase a distintas variables a tener en consideración, tales como el sonido directo, la grabación del concierto y su postproducción.

1- Sonido Directo

Su objetivo fue el de ser un refuerzo acústico para la sala. Inicialmente trabajábamos con una cónsola analógica; posteriormente fue sustituida por una consola digital. Este cambio nos brindó prestaciones técnicas importantes y la posibilidad de realizar grabaciones multi-canal.

El diseño e instalación del sistema sonoro no era el más adecuado para la música en vivo. El recinto fue diseñado como sala de teatro experimental, careciendo de una platea frontal al sistema de sonido, siendo este dispuesto desde las cuatro esquinas hacia el centro. Lo recomendado es que el sistema esté ubicado en posición frontal al público, así como la cabina de control en posición frontal al sistema. De esta manera aseguramos que lleguen las ondas sonoras proyectadas desde los altavoces al punto de audición, antes que las reflexiones de la sala. La configuración de los equipos generaba problemas en la percepción del sonido, tales como la falta de direccionalidad, percepción de espacio, cambios en la imagen panorámica y/o alteración en la percepción de las frecuencias por problemas de fase o posicionamiento de los altavoces fuera del eje, entre otros (Everest, 2001: 354-358), por lo que el sonido parece no tener sustento o piso.

Buscamos que el PA y la monitorización fuesen lo más transparente posible en pro de la grabación y de esta manera evitar ensuciar o manchar los canales que estábamos capturando. El objetivo fue jugar con la percepción del público, imitando una concha acústica. Un paso importante para ello fue la alineación y ecualización de la sala. Este proceso lo realizamos mediante la herramienta Smaart.[19]

2- Grabación

La técnica de grabación cambió con el tiempo. En una primera etapa se realizaba enviando desde la cónsola analógica una mezcla estéreo vía auxiliares a un grabador de CD. Se realizaba una mezcla *in situ* donde los elementos internos no podían ser modificados posteriormente. En una segunda etapa, se realizó separando en cada uno de los canales disponibles grupos de instrumentos en mono, comenzando a hacer una pequeña postproducción, incluyendo ecualizaciones, efectos de dinámica y/o de tiempo. La imagen estéreo era realizada en postproducción. A su vez comenzaron a ser microfoneados todos los instrumentos para la grabación.

La tercera etapa se inicia con la incorporación de una consola digital, la cual permitía la grabación multipista mediante una computadora vía protocolo *FireWire*. La posibilidad de grabar los conciertos en multipista nos brindó la oportunidad de explorar y experimentar distintas microfonías y técnicas. En este punto comenzamos con la grabación de *ruido de estancia* pudiendo capturar la reverberación natural, aplausos e interacciones con el público.

---

[19] Este software nos permite realizar un análisis acústico bastante completo. Mediante un micrófono de medición, podemos saber ciertas características del sonido, tales como respuestas de frecuencias (RTA), el comportamiento de fase de cada frecuencia (Phase) o la diferencia de tiempo de llegada de la señal de dos altavoces distintos (Live IR). Este programa funciona con los algoritmos FFT (Fast Fourier Transform) y IFT (Inverse Fourier Transform) "para transformar los datos de las visualizaciones entre los dominios del tiempo y de la frecuencia" (Rational Acoustics LLC, 2011: 8). El programa emite una señal llamada ruido rosa, mediante dos canales iguales (copias). Una copia retorna directamente a la computadora para ser usada como referencia por el programa. La otra copia es enviada a los altavoces de la sala, percibida por el micrófono de medición y finalmente enviada al computador para ser comparada con la otra señal y procesada mediante los algoritmos. Una vez obtenidos los datos realizamos las modificaciones necesarias. En los ecualizadores gráficos de la cónsola digital realizamos la ecualización de la sala, ya que nos ofrecían mejor accesibilidad, en caso de que debiéramos hacer alguna modificación posterior. El crossover (XO) y la alineación, los realizamos en un procesador externo de PA, ya que al ser parámetros que no se iban a modificar no era necesaria la accesibilidad a sus controles.

No contamos con un registro exhaustivo de esta etapa ya que cuando se realizaron las grabaciones no estaba prevista la realización de esta investigación. A su vez, nunca se contó con la misma cantidad y tipo de microfonía ya que dependía de la disponibilidad de equipos del teatro. Estas grabaciones se realizaron a lo largo de dos años, de las cuales escogimos un grupo de doce que conforman el disco presentado. Nos basamos en criterios de gusto personal y proporcionalidad de los géneros presentados.

3- Postproducción

El proceso de postproducción fue evolucionando con la técnica, el equipamiento y el tipo de grabación que íbamos realizando. Este proceso se inició formalmente en la tercera etapa de grabaciones. A partir de este punto nos comenzamos a plantear sesiones de mezcla mucho más complejas, lo que nos permitió trabajarlas a mayor detalle y realizar distintos procesos a cada señal de audio.

Diseñamos una metodología de trabajo que nos permitiese cumplir con los tiempos de post-producción, la cual se fue ordenando y refinando en sus procedimientos. Durante su elaboración se realizó la post-producción de un primer lote de grabaciones llamada "primeras mezclas". Una vez consolidada, se realizó un segundo lote llamado "segundas mezclas", las cuales conforman el disco resultado de nuestra investigación. La edición no fue aplicada a las "primeras mezclas", ya que no contábamos con el tiempo necesario, pero sí a las "segundas mezclas". La mezcla, fue aplicada en ambas; sin embargo para las primeras, la metodología apenas se estaba elaborando, por lo que no había rigurosidad en los procedimientos; para las segundas, la metodología ya había sido ordenada y consolidada, por lo que fue aplicada tal cual como se describe a continuación. La masterización no fue aplicada a las "primeras mezclas" tal y como lo recomienda el autor; para las segundas fue aplicada como se describe a continuación.

3.1- Edición.

Pese su importancia es escasa la teoría sobre este procedimiento. Ha sido muy útil lo desarrollado por James Grier (2008) afirmando que "editar es un acto de crítica" (Grier, 2008: 9), por lo que es necesario tener formado un criterio estético claro sobre los estilos musicales o formatos sobre los cuales estamos trabajando: "la edición, por consiguiente, consiste en una serie de decisiones fundamentadas, críticas e informadas" (Grier, 2008: 12).

No contamos con las partituras de la música que estábamos editando, por lo que necesariamente debimos adentrarnos en el análisis auditivo tomando como referencia los aportes de María del Carmen Aguilar (1989).

Para Aguilar "cada obra musical es una compleja red de fenómenos sonoros, cada uno de ellos con una organización propia, que incide sobre la percepción y la memoria" (Aguilar, 1989: 3)[20]. Conociendo los aspectos y recursos de la composición podemos utilizarlos como elementos para la reparación de ejecuciones erróneas. Para ello, estudiamos la organización sintáctica de la música, siendo este el "análisis de la organización de la música en el tiempo y, por lo tanto, a la segmentación del discurso musical en secciones significativas" (Aguilar, 1989: 1). Estas secciones tienden a ser repetitivas o elípticas, ya que plantean ideas importantes en el discurso musical. Las partes de la forma musical son elementos finitos, tienen un inicio, desarrollo y conclusión, lo que hace viable que podamos definirlas, identificar sus límites y separarlas del resto del conjunto.[21] Mediante el análisis de las funciones formales "observaremos qué funciones se presentan a nuestra percepción y tomaremos nota del orden de aparición de dichas funciones y de la longitud relativa de los segmentos que las soportan" (Aguilar, 1989: 4).

Una herramienta muy útil fue el *análisis armónico*, ya que "la armonía es un plano de significación que sirve como puntuación para el discurso" (Aguilar, 1989: 4). Una vez identificadas las partes mediante la armonía, realizamos el análisis sintáctico para ubicar las unidades sintácticas defectuosas, bien sea por desafinaciones, notas falsas o rítmicas falsas, para ser sustituidas total o parcialmente por sus similares. Entendemos por unidad sintáctica a "un segmento reconocible del discurso, de construcción cerrada y longitud abarcable por la memoria inmediata" (Aguilar, 1989: 9).

Esquema de edición:

1) Adecuar los nombres de las pistas a las nomenclaturas propuestas.

2) Posicionar las pistas sobre la rejilla de tempo de nuestro *DAW*.

3) Revisar cada pista para verificar que no existan ruidos molestos o imperfecciones incidentales. En caso tal utilizamos un editor de espectro.

4) Ajustar el tempo interno de la pieza tomando un elemento rítmico como referencia, acoplando el resto de los instrumentos a ello.

---

[20] Teniendo en cuenta este punto de vista, creímos importante analizar la obra en pro de la edición, para que nos fuese posible identificar las partes que la componen. De tal manera, "el paso básico del análisis (que nos lleva a la edición) consiste en desglosar convenientemente dicha multiplicidad observando los aspectos parciales del fenómeno" (Aguilar, 1989: 3).

[21] De este modo, es posible "determinar los momentos de cierre de la exposición de cada fenómeno, instante en el que retroactivamente se lo comprende" (Aguilar, 1989: 2).

5) Ubicar posibles errores de ejecución en unidades sintácticas defectuosas para ser sustituidas por sus similares, aplicando fundidos de entrada o salida para evitar que esta operación sea detectable.

6) Bloquear posiciones SMPTE de todas las pistas para no perder sincronización.

7) Afinar canales que lo requieran mediante una herramienta para corregir pistas con desafinaciones y notas falsas, incluso dentro de acordes en instrumentos armónicos.

8) Realizar un *bounce* a *track* después del proceso anterior.

9) Realizar *bounce* a *track* para consolidar toda la sesión de edición.

3.2- Mezcla

Para la realización de la mezcla, quisimos establecer un diseño sonoro capaz de adaptarse a todas las grabaciones que realizamos y que fuesen representación aproximada de lo ocurrido en vivo.[22] Para ello, tomamos como característica principal la grabación en vivo. Este fue el eje transversal de la construcción de sentido. Elaboramos tres series con la que enmarcamos grupos de canciones con conceptos similares. Luego nos centramos en las particularidades de cada composición/ejecución, incluyendo otros elementos de construcción de sentido que variaron con cada mezcla. Apoyándonos en las tendencias de la producción musical antes nombradas[23], consolidamos el diseño sonoro de cada una de las grabaciones.

Esquema de Mezcla:

1) Agrupamientos y ruteos.

  a. Criterios para el agrupamiento de canales:

    i. Por instrumentos con múltiples canales.

    ii. Por familias o secciones.

  b. Criterios para el ruteo de señales:

    i. Por grupos sub-matrices (instrumentos con múltiples canales).

    ii. Por grupos matrices (familias o secciones).

    iii. Por envíos a efectos: dinámicos, de tiempo, otros.

---

[22] Tomamos la definicion de Rosa Chalkho (2014), la cual menciona: "se considera diseño sonoro a los procesos discursivos sonoros de factura proyectual mediante los cuales los sonidos convergen en una resultante comunicacional de construcción de sentido y por tanto, plausibles de ser analizados semióticamente" (Chalkho, 2014: 6).
[23] Ver Introducción.

iv. Por envíos I/O: a procesadores de audio de *hardware*, externas a nuestro computador.

v. Al grupo Pre-masterización.

Nota: Este es un esquema general, en el proceso surgieron envíos, agrupamientos o ruteos excepcionales que no habían sido previstos.

2) Asignación de colores a los canales: se identificaron por secciones o familias de instrumentos y canales auxiliares por su función.

3) Procesamiento por canal.

El orden de estos procedimientos es variable ya que responden a necesidades técnicas y/o estéticas de cada grabación. Consideramos la mezcla un poco más orgánica que la edición ya que depende mucho de lo que nos vaya diciendo el oído y/o la emoción. A nuestro criterio, la mezcla debe ser rigurosa en el inicio, pero a medida que avanza gana libertad, abandonado cada vez más los aspectos técnicos y dejándose llevar por el juicio estético y emocional.

a. Nivelación: ajuste inicial del nivel de salida de cada canal, sub matrices y matrices típicamente entre -10 dB y -8 dB.

b. Corrección tímbrica: para evitar enmascaramientos o sumatorias con otros instrumentos de registros similares, comenzando a definir el equilibrio tonal mediante ecualizadores paramétricos.

c. Ajustes de panorámicas: ubicamos cada instrumento referenciándonos inicialmente en la posición que ocuparon en los conciertos.

d. Manipulación de la dinámica: utilización de compuertas sólo cuando fue estrictamente necesario. Utilización de compresión, aplicándola inicialmente a los instrumentos de frecuencias graves, para ir sentando las bases de las mezclas.

e. Aplicación de automatizaciones: para manipular convenientemente los parámetros de cada canal.

f. Envíos I/O.

g. Envíos a efectos de tiempo: son aquellos que nos permiten dar espacio aparente a los instrumentos, tales como reverberaciones y retardos *(delays)*.

h. Envíos a octavadores.

i. Envíos a efectos de distorsión.

j. Contorno tímbrico: definición de los espacios en el espectro audible para cada instrumento, utilizando ecualizadores de *software* tipo pasivos, o compresores multi-banda.

3.3 Masterización.

Es el último proceso que realizamos. Nos basamos en el desarrollo de Bob Katz, el cual define la masterización en los siguientes términos: "Es el ultimo paso creativo en el proceso de producción del audio, el puente entre la mezcla y el proceso de replicado, la última oportunidad para realizar el sonido o arreglar un problema en una habitación acústicamente diseñada, un microscopio de audio" (Katz, 2002: 11).

Esta última etapa es crucial para el resultado final de una grabación. Por lo tanto, el oficio de la masterización requiere que el operador posea grandes habilidades técnicas y un criterio bien labrado (Katz, 2002: 99). En cuanto al procedimiento como tal, se sugiere un orden específico en las tareas a realizar, estas son edición, limpieza, arreglo de los niveles, procesamiento y salida en el medio final (Katz, 2002: 25). Es importante tener en cuenta la premisa de que en la masterización cada acción afecta a otra cosa, por lo que los procedimientos, pese a ser similares, difieren de los realizados en la mezcla, en la que pueden intervenir unos elementos sin afectar a otros. En esta fase todo está fundido en un solo archivo de audio.

Esquema de Masterización (pre- masterización).

    a.   Cortes de las pistas y orden final del disco: debimos definir los cortes de entrada y de salida de cada grabación. También reunimos el disco para darle un orden coherente que expresase un concepto, pensando el disco como un todo.[24] Enmarcando en tres series de cuatro grabaciones cada una, consolidamos el concepto de presentación de las grabaciones.[25]

    b.   Homologación de los niveles: hemos establecido los niveles en relación con el resto de las grabaciones, complementando el discurso

---

[24] Dado que es un disco de grabaciones en vivo nos pareció interesante la idea de pensar en un álbum en términos de un concierto. Los conciertos están habitualmente organizados en series, una serie puede consistir en tan sólo una canción pero lo más habitual es tres o cuatro. No existen reglas estrictas, pero habitualmente el espacio entre series es un poco más grande que el típico espacio entre las canciones de una serie, con el fin de establecer un respiro, o un cambio de estado de ánimo.

[25] Es muy importante que este procedimiento sea bien desarrollado, ya que "el modo en que las canciones son espaciadas y calibradas contribuye enormemente a la respuesta emocional del oyente y al disfrute del disco" (Katz, 2002: 87).

sonoro. También hemos tenido como referencia los estándares de la industria.[26]

c. Homologación de los equilibrios tonales: la ecualización en la masterización[27] debe lograr un buen equilibrio tonal y esto se logra cuando "las cosas no sobresalen de manera inapropiada, que el sonido es agradable, cálido y claro, y que es correcto para la canción y el género" (Katz, 2002, p. 100).[28]

d. Profundidad y dimensión: debimos darle coherencia a la espacialidad y a la profundidad que tienen las grabaciones. Nos fue muy útil basarnos en la teoría del efecto Haas.[29]

e. Coherencia en las dinámicas del disco: en la masterización el rango dinámico puede ser dividido en microdinámicas y macrodinámicas: "la microdinámica es la expresión rítmica de la música. La macrodinámica son las diferencias de sonoridad entre las secciones de una canción o ciclo de canción" (Katz, 2002: 109).

f. Salida al medio final: realizamos un procedimiento de *downsampling*, bajando la resolución de 48 Khz a 24 bits a 44.1 Khz a 16 bits al final de la cadena de procesamiento. La señal era enviada a una pista de audio dentro de nuestra *DAW* realizando un *bounce* a *track*.

---

[26] A partir del año 2010 entra en vigencia la regulación EBU R128 (revisada en 2011 y 2014), que establece un estándar internacional acerca de los niveles de emisión de contenidos audiovisuales, para televisión digital, radio e internet. Según esta regulación, el nivel de salida de un programa debe ser de -23 dB LUFS (EBU, 2014: 4).

[27] Es importante recordar que el procedimiento de la ecualización en la masterización difiere del que hacemos en la mezcla, ya que lo que hagamos pensando en mejorar solo un elemento, afectará a todo el conjunto. La práctica de ecualización es un caso especialmente claro de que una técnica usada en la masterización es crucialmente diferente de una técnica aparentemente similar usada en las mezclas (Katz, 2002: 99).

[28] Mientras buscamos siempre un estándar absoluto en la ecualización, una grabación puede tener un color intencionado, por ejemplo, un sonido más brillante, más fino, y el oído se "entrenará" a sí mismo y aprenderá a aceptar una ligera desviación del nivel neutral (Katz, 2002: 100).

[29] Esta teoría dice que "los retardos cuidadosamente colocados y nivelados en el rango de 12 a 40 milisegundos pueden mejorar la claridad" (Katz, 2002: 214). Es decir, que estos retardos no se notan, el oído no los diferencia de las fuentes primarias del sonido y los suma a ellas, ya que cuando la fuente y el retardo se encuentran correlacionadas el oído los fusiona (Katz, 2002: 213).

Resultados

Los procesos que hemos realizado, tanto en las "primeras mezclas" como en las "segundas mezclas" han sido determinantes para las características y estética final de nuestras grabaciones. En general, podemos decir que en las "primeras mezclas" los resultados son muy disímiles debido a que no hubo un criterio bien definido con el cual realizáramos la postproducción. Esto se evidencia en elementos como el equilibrio tonal, características de dinámica, espacialidad y profundidad y en la sección de premasterización. Por el contrario, en las "segundas mezclas" el resultado es más coherente en sus características, debido a que ya teníamos un criterio definido de qué estábamos buscando. Recordemos que un elemento importante fue el tiempo de ejecución. En las "primeras mezclas" el tiempo fue muy distante y nos encontrábamos experimentando con diversas técnicas y procesadores. En el caso de las "segundas mezclas" el tiempo de ejecución fue mucho más corto, por lo que pudimos mantener criterios más coherentes, debido a la consolidación técnica y conceptual que habíamos desarrollado. La claridad en el concepto nos ayudó a tener bien definidos los procesadores que utilizaríamos, lo que nos permitió trabajar la concepción del disco como unidad. Una limitación importante fue la falta de rigurosidad metodológica en la captura de las grabaciones. Su realización es un factor coadyuvante en los procesos posteriores de postproducción.

Hemos podido confirmar, en base a esta experiencia, que la labor del sonidista es esencial para las producciones musicales. Su trabajo adquiere gran importancia ya que gracias a su experiencia, criterio y gusto, podrá aportar contenidos estéticos mediante su trabajo, al mismo nivel de un músico ejecutante, siendo su instrumento el estudio de grabación y/o todos los recursos de captura y postproducción de los que dispone. Basándonos en una serie de planteamientos teóricos, hemos hecho una reflexión más a fondo de lo que es la labor del sonidista, inscrito dentro de la teoría de los discursos multimodales, así como de la aportación de valor agregado mediante las herramientas tecnológicas que le permiten intervenir las fuentes sonoras, buscando completar los objetivos planteados en referencia a las intersubjetividades presentes en los ambientes creativos y de producción musical.

Discusión y conclusiones

1- La multimodalidad

En la teoría de los discursos multimodales, Kress y van Leeuwen (2001) plantean la existencia de múltiples articulaciones, a diferencia de la doble articulación de la lingüística, como discurso monomodal donde:

La lingüística tradicional tenía un lenguaje definido como un sistema que funciona a través de la doble articulación, donde un mensaje era una articulación entre significante y significado, nosotros vemos textos multimodales como constructores de sentido en múltiples articulaciones (Kress y van Leeuwen, 2001: 3).

Para la explicación de la teoría elaboraron cuatro estratos que los componen:

a. Discurso: se refiere a "conocimientos socialmente construidos de algún aspecto de la realidad. Estos han sido desarrollados en contextos sociales específicos y en formas que son apropiadas a los intereses de los actores sociales en esos contextos" (ibíd.). Los discursos sólo pueden ser desarrollados cuando se hayan generado las estructuras necesarias.[30] Nuestro discurso es el de la producción musical, en ello podemos mostrar diversos elementos que estén de acuerdo a los intereses de la música venezolana específicamente.

b. Diseño: es la parte del proceso mediante la cual definimos los elementos que formarán parte del discurso.[31] Podemos ubicar dentro de este estrato las composiciones musicales de las grabaciones donde se definieron ensambles e instrumentación: ritmo, melodía y armonía. En este sentido, debemos tener en cuenta que "los recursos sobre los que el diseño trabaja, los modos semióticos, son aún abstractos, capaces de ser llevados a cabo a través de diferentes materialidades. Todos estos medios añaden más capas de significación" (Kress y van Leeuwen, 2001: 4).

c. Producción: son las habilidades mediante las cuales materializamos los discursos y sus diseños, habilidades técnicas, habilidades de la mano y del ojo, habilidades no relacionadas a modos semióticos sino a medios semióticos. Se consideran medios de producción a aquellas herramientas que se utilizan para la realización de las artes performáticas tales como la música o el teatro. Pueden incluirse los instrumentos musicales, ya que "también se aplica a los medios que no producen huellas que perduren más allá del momento de la articulación" (Kress y van Leeuwen, 2001: 5).

---

[30] Ya que "solo pueden ser llevados a cabo por modos semióticos que han desarrollado los medios para llevarlos a cabo" (Kress y van Leeuwen, 2001: 4).

[31] Estos nos sirven para entender los discursos en el contexto de una situación comunicativa dada, que "pueden ser convencionales, repitiendo las formulas preestablecidas, así como innovadores o subversivos, por lo que suman algo nuevo: permiten y dan lugar a la situación comunicativa que cambia el conocimiento socialmente construido en la (inter-)acción social" (Kress y van Leeuwen, 2001: 4).

d. Distribución: este estrato trabaja "simplemente facilitando las funciones pragmáticas de preservación y distribución" (Kress y van Leeuwen, 2001: 5). En este estrato las expresiones artísticas (artes del tiempo) son captadas para su reproducción y distribución. Entre los medios de distribución tenemos microfonía, grabadores, medios de almacenamiento, *software* de producción musical, entre otros. La distribución tiende a ser vista como no semiótica, ya que se considera que no aporta ningún tipo de significado y su naturaleza es meramente técnica. Esto ha generado con el tiempo ciertos conceptos tales como que "el trabajo de los ingenieros de sonido es lograr la mayor fidelidad posible" (ibíd.).[32] Sin embargo, se admite la capacidad de las tecnologías de distribución de aportar contenidos estéticos. En este caso, pueden volverse medios de producción ya que tienen la capacidad técnica para añadir elementos de significación mediante la manipulación física de los eventos musicales. La contribución del sonidista se puede volver equivalente a la del músico "utilizando parámetros como reverberación, no para (re)crear la sala de acústica perfecta, sino para actuar como significantes independientes (Kress y van Leeuwen, 2001: 5).[33]

La música como forma de comunicación humana ha ido cambiando de monomodal a multimodal, en parte gracias a la tecnología y sus avances (McKerrel y Way, 2017). Sin embargo la música no puede ser considerada un lenguaje porque sus significantes son semánticamente ambiguos, estos cambian de un contexto a otro, de un entorno cultural a otro.[34] La música puede ser entendida como un discurso multimodal debido a la cantidad de elementos que convergen en ella y cómo cada uno aporta partes distintas del todo, por lo que debemos considerar la importancia de los elementos.

Dentro de estos elementos pudiese estar el diseño sonoro. Sus significantes serán construidos en torno a las circunstancias culturales en donde se desarrollen. Es complicado establecer gramáticas respecto a los significados de sus elementos, sin embargo ya ha habido avances en intentar entender cómo podemos establecer no una gramática musical, sino vías de acceso a

---

[32] Es importante mencionar que la fijación de las artes performáticas en algún soporte podría generar "una completa pérdida del "aura". ¿Cuántos de nosotros aún siente un faltante esencial al observar una reproducción artística o al escuchar la grabación de una interpretación musical?" (Kress y van Leeuwen, 2001: 12).

[33] Aguilar plantea que "el sonido ha dejado de cumplir el rol de portador del discurso para convertirse en protagonista y constructor de la estructura" (Aguilar, 1989: 5).

[34] Music cannot be considered a language, because of its semiotic ambiguity [...] Music´s meaning are emergent and performative, depending largely upon the social and cultural bodies that heard them (McKerrel; Way, 2017: 39).

estos significados. Una propuesta interesante es la relación que existe entre los significados de los elementos musicales y la experiencia corporal (McKerrel y Way, 2017; van Leeuwen, 2017; Moore, 2013; Meintjies, 2012).[35]

Muchas de las investigaciones acerca de la música (discurso), han ido en la dirección de estudiar los valores sociales y cómo se expresan a través de la construcción de sentido. Ya desde la composición (diseño), podemos observar distintas técnicas que sugieren valores o significados sociales. Mediante estas, los compositores pueden buscar expresar ideas o valores que tienen importancia y significación en sus entornos culturales. Podemos nombrar algunas técnicas, monofonía para expresar unidad social, polifonía para expresar pluralismo, homofonía para expresar dominación social; y así otras técnicas utilizadas (van Leeuwen, 2017: 146). Asimismo, desde el momento de la ejecución (producción), los músicos también pueden estar agregando significados mas allá de la composición[36], mediante algunas características que nos sugieren emociones, sentimientos y significados, pudiendo ser

---

[35] En este sentido la corporalidad es un elemento de suma importancia: "*Moore´s aproach is perhaps closest to our own in terms of understanding how the mechanism for musical meaning wokrs; he recognizes that the body is foundational for meaning [...] we have the ability to make sense of the world by understanding unfamiliar ideas or sounds in terms of familiar ideas*" (Moore, 2013: 14; citado en McKerrel y Way, 2017: 28). A su vez esta emocionalidad, necesita ser verificada mediante un elemento más que entra en juego en la construcción de los significados musicales y de la legitimidad que estos pueden tener. Este elemento es la autenticidad: "to understand the discourses of authenticity, [...], is to understand the deeply emotional shared connections we have to music. Recent studies have found it useful to view authenticity as the quality of sincerity or playing from the heart that listeners ascribe to performers" (Moore, 2013: 210; citado en McKerrel; Way, 2017: 29).

[36] En este sentido tener en cuenta que: "musicians manipulate such domains as perspective, connoting social distance, music´s adherence (or not) to regularity, how sounds interact with each other, melody, voice quality, timbre and the modality of sounds" (McKerrel; Way, 2017: 34). Específicamente hablando de estos elementos: "we can recognize tensión, that high, sharp, brigth quality, also in musical instruments and the way they are played, or in other sound" (ibíd.), sin olvidar que estos significados son relativos al entorno cultural donde se desarrollan: "just what tensión will actually mean will of course depend on the other musical and non-musical signifiers it combines with, and on the context" (van Leeuwen, 2017: 143).

desarrolladas mediante la ejecución así como por la manipulación del sonido (producción- distribución).[37] Estas diferirán de un entorno cultural a otro y estarán conforme a las *intersubjetividades* construidas en cada uno de estos contextos.

2- Conceptos del sonido cinematográfico llevados al discurso sonoro musical

En el mundo del sonido para cine se han elaborado más ampliamente los conceptos y teorías del diseño sonoro y sus implicaciones. Pensamos que esta diferencia viene dada porque desde un inicio el sonido en el cine ha sido complementario a la imagen, por lo que ha debido justificar su existencia desde el primer momento de su aparición después del cine mudo (Chion, 1993). En el mundo de la música, el sonido solamente fue portador del mensaje por lo que su existencia estaba dada como un resultado natural del evento musical. Con los cambios tecnológicos, las necesidades teóricas acerca del diseño sonoro musical han ido cambiando para dejar de ser el portador y llegar a convertirse en el mensaje mismo (Aguilar, 1989).

Dentro de los conceptos tomados del sonido para cine está el de la acusmática. Esta es una antigua palabra de origen griego que significa "que se oye sin ver la causa originaria del sonido o que nos hace oír sonidos sin la visión de sus causas" (Chion, 1993: 62). Por lo tanto podemos decir que toda música grabada es acusmática. El hecho de no ver las causas del sonido (fuentes sonoras) se presta a muchos procedimientos de tipo técnico para enmascarar lo que estamos escuchando o manipular sus características y darle distintas connotaciones (valor añadido).

La noción de las fuentes sonoras nos dice que "un sonido no siempre tiene una fuente única, sino al menos dos, incluso tres o aun más" (Chion, 1993: 29), es decir, que la fuente sonora en el caso de ser un instrumento musical nos es únicamente el instrumento en sí mismo, sino además todas las circunstancias que lo rodean (el ejecutante y/o diversas condiciones técnicas y ambientales). Todos los pasos por los que pasa el sonido para ser capturado, grabado, procesado, reproducido o amplificado influirán en sus características y se convertirán también en fuentes sonoras. Mediante el procesamiento en la postproducción de un producto musical podremos agregar capas y capas de nuevas fuentes sonoras.

---

[37] Estas son muy diversas: "loudness, pitch level, breathy voice, vibrato, roughness, [...] and we know from experience what it causes it. That meaning potential can then be activated in different ways in different contexts (van Leeuwen, 2017: 144). En el caso del vibrato, este puede tener significados/efectos diametralmente opuestos como por ejemplo sugerir enamoramiento o por el contrario misterio o terror. Así, podemos realizar listas interminables con adjetivos, características o significantes que podemos darle al sonido.

Todos estos elementos aportan valor añadido a las fuentes sonoras iniciales. Chion nos dice que "por valor añadido designamos el valor expresivo e informativo con el que un sonido enriquece una imagen dada" (Chion, 1993: 13). En nuestro caso podemos transpolar el concepto y decir que por valor añadido designamos el valor expresivo e informativo con el que ciertas características sonoras enriquecen un sonido dado. Estas características pueden denotar intenciones estéticas o actuar como significantes independientes. En base a la noción de valor añadido podríamos decir que el diseño sonoro, es la elaboración de un conjunto de valores añadidos mediante el cual definimos la estética de un producto sonoro. Mediante su evolución podríamos ser capaces de conducir temporalmente los eventos musicales, para ir desarrollando una narrativa o discurso, basándose en la conexión emocional que puede establecerse con ciertas características del sonido.[38]

Sin embargo, para poder realizar la manipulación efectiva de las fuentes sonoras es necesario desarrollar la escucha reducida. Este término acuñado por Pierre Schaeffer ha sido definido como aquella que "*toma el sonido como objeto de* observación, en lugar de atravesarlo buscando otra cosa a través de él" (Chion, 1993: 30), no interesándose en sus causas sino en sus características *per se*. Es en este intento de profundización en las cualidades del sonido, donde comienzan a surgir términos que resultan confusos a la comprensión. Palabras como latoso, pastoso, punzante entre otras, son resultados de la intersubjetividad e intentan describir características del sonido que necesitamos verbalizar para poderlas comunicar.[39]

La escucha reducida nos va a servir como herramienta perceptiva en la tarea de modelar el sonido (Chion, 1993; Corey, 2010).[40] Acorde a los propósitos que estamos buscando, podremos modificar "el valor afectivo, emocional, físico y estético de un sonido, el cual está ligado no solo a la explicación causal, sino también a sus cualidades propias de timbre y de textura, a su vibración" (Chion, 1993: 32).

---

[38] Los efectos del valor añadido tienen serias conexiones con la corporalidad ya que son "fundados en una base psicofisiológica, lo que los hacen viables sólo bajo algunos contextos ya que no operan sino en ciertas condiciones culturales, estéticas y afectivas, por una interacción de todos los elementos" (Chion, 1993, 25).

[39] En este sentido Chion nos dice que "la percepción no es un fenómeno puramente individual, puesto que deriva de una objetividad particular, la de las percepciones compartidas. Y en esta subjetividad, nacida de una intersubjetividad, es donde pretende situarse la escucha reducida" (Chion, 1993: 31).

[40] Jason Corey (2010) se refiere a la escucha reducida bajo el término *critical listening*.

3- El sonidista como sujeto de arte y el estudio de grabación como instrumento musical

La noción que Spector comenzó a plantear acerca de la naturaleza del estudio de grabación y sus implicaciones, ha sido desarrollada posteriormente por otros teóricos y estudiosos de los procesos de producción musical. Jason Corey (2010) lo considerada como un instrumento musical que puede ser tocado por el sonidista y el productor. El sonidista puede llamar la atención de los que escuchan a ciertos elementos o características, guiándolos auralmente a diversas experiencias que expresen las intenciones artísticas de los músicos (Corey, 2010: 22). Los estudios de grabación son únicos, estos tienen un sonido, un ambiente (Bates, 2012: 1). Entendemos entonces que un estudio de grabación debe llevar un diseño acústico específico que se adapte y adecúe a ciertas necesidades y objetivos (Bates, 2012; Meintjies, 2012), lo cual es un elemento de suma importancia. Eliot Bates (2012) plantea que el sonido en los entornos acústicos se comporta como un conjunto complejo de funciones de transferencia. Estos reaccionan y se relacionan con los materiales y las superficies presentes en la sala reflectándolas o absorbiéndolas de manera constante (Bates, 2012: 3), por lo que el sonido de cada sala en posiciones específicas podrá tener características determinadas que serán utilizadas de manera intencional para conseguir tales o cuales resultados.

En el estudio se establecen relaciones subjetivas entre los artistas y los artilugios tecnológicos dotándole propiedades y significaciones. Esta relación es un vinculo con mundos imaginarios, que deben ser explorados para sumergirse en la emocionalidad necesaria que implica la realización artística. Pero para Louis Meintjies (2012) esto podría construirse sobre el fetichismo a la tecnología que contiene, añadiéndole elementos metafísicos que probablemente no tendrían por si mismos: "the studio technology plays a part in fetishizing the sound it produces, so do the complexity and beauty of the sound in turn intensify the aura of the technology" (Meintjies, 2012: 270). Asimismo argumenta que todo este mundo espiritual tiene unas fronteras bien definidas, siendo estas los controles de cada equipo. La mayoría de los que se encuentran en el estudio comúnmente no llegan a comprender cómo funcionan, por lo que podríamos entender que este fetiche está basado en la ignorancia de los procesos que desarrollan.[41]

Estas nociones podrían servirnos para entender la idea de que el estudio de grabación es actualmente el instrumento musical último de la cadena de producción: "the studio itself had become the final instrument that is recorded" (Hornig, 2002: 165; citado en Bates, 2012: 5). El valor añadido que puede aportar un estudio será diferente de otro porque las fuentes sonoras también lo serán, tomando en cuenta sus características acústicas y el equipamiento disponible. Podemos decir que las posibilidades creativas en él son ilimitadas e infinitas, teniendo claro que siempre podrán haber otras interpretaciones posibles y otras maneras de definir los elementos estéticos como significantes independientes.[42]

Tomando en cuenta la posición del sonidista, él cumple un rol muy importante en el estudio, está llamado a ser mediador entre arte y tecnología: "the sound passes through his artistic sensibility into the technology of the mixing consol" (Meintjes, 2012: 275) por lo que es un vehículo entre las aspiraciones artísticas y la posibilidad de su realización técnica.[43] Posiblemente su formación profesional no sea en la ingeniería de sonido sino en la música, sin embargo ha aprendido a utilizar equipos de audio, así como los

_____

[41] Rompiendo toda esta aura de misticismo nos dice: "there is a whole sonic world packed into that sleek machine, which registers the presence of its precious contents only as digitized figures in a tiny control window. It is a world to which Joana can point, but that she cannot enter herself (Meintjies, 2012: 271). Con lo que complementa: "The mathematical and electronic processes that encode it are as sophisticated as the face of their component's casing. The multiple steps required for its operation (and these steps are far from transparent) and the elaborate lexicon that acompanies them inhibit contact with the object by all but the specialists. Technical lexicons enshroud objects and already opaque processes in mystery (Meintjes, 2012: 271). Apuntando finalmente: "But is the studio only mysterious to people who don't have better knowledge? Is this mysterious because people in power make it that way? Or does it only appear to be mysterious? (Meintjes, 2012: 278).
[42] The boundaries of the creative possibilities in the studio are unfixed, unknown, and unending. There is always another posible way to change the sound. This is both a physical and metaphysical condition (Meintjes, 2012: 278).
[43] La conformacion de criterios es de suma importancia debido a lo clave de su oficio, en este sentido "he can add effects to a tone or series of tones. He has at his electronic fingertips multiple versions of multiple effects" (Meintjes, 2012: 274).

principios básicos que los rigen. Siendo también un músico ejecutante[44], debe desarrollar una serie de habilidades técnicas que le permitirán operar las máquinas con las que trabaja. Asimismo, debe conocer las sensaciones que el sonido produce en su cuerpo, entendiendo las características particulares de su percepción, lo que le permitirá desarrollar una escucha reducida adecuada. En la medida en que amplía sus habilidades técnicas, internalizará el estudio y sus posibilidades, lo hará más intuitivo, tal y como la hacen los ejecutantes de otros instrumentos, relacionando el uso de las diversas herramientas con la experiencia aural.[45]

---

[44] Studio music-makers with their superior aural competence can imagine composite sonic wholes, new sound worlds, and set about creating them with technical expertise of their sound engineer. They can hear the details of complex sounds and set about reshaping them. They can manipulate waveforms in order to give the impression of weight, density, movement and space. [...] they can manipulate scientific technological processes and sound for metaphysical effect (Meintjes, 2012: 274).

[45] Mientras mayor sea su formación técnica y su experiencia, más intuitivo hará el uso de las herramientas contenidas en el estudio, intuición que hace más artístico el proceso aportando contenidos estéticos, ya que: "recording can transform the semiotic potential of multimodal texts by shaping the material properties of sounds and constructing multimodal metaphors. (van Leeuwen, 1999, 2012; Zbikowski, 2012, 2009; Forceville, 2009; Machin, 2010; citado en Ord, 2017: 221).

Referencias bibliográficas

Aguilar, M. (1989). Estructuras de la Sintaxis Musical. Buenos Aires: Centro Cultural Ciudad de Buenos Aires.

Ballou, G. (Ed.) (2008). Handbook for Sound Engineers, Fourth Edition. Oxford: Elsevier.

Bates, E. (2012). What Studios Do, disponible online en: http://arpjournal.com/what-studios-do/ [Recuperado 17/06/2013].

Buskin, R. (2007) Classic Tracks: The Ronettes 'Be My Baby', disponible online en: https://www.soundonsound.com/techniques/classic-tracks-ronettes-be-my-baby [Recuperado 15/09/2017].

Chalkho, R. (2014). Diseño sonoro y producción de sentido: la significación de los sonidos en los lenguajes audiovisuales. Cuadernos del Centro de Estudios de Diseño y Comunicación 50 (15), 1-266.

Chion, M. (1993). La Audiovisión: Introducción a un análisis conjunto de la imagen y el sonido. Barcelona: Paidós.

Corey, J. (2010). Audio Production and Critical Listening| Technical Ear Training. Oxford: Focal Press.

EBU (2014). Loudness Normalisation And Permitted Maximum Level Of Audio Signals, disponible online en: https://tech.ebu.ch/docs/r/r128.pdf [Recuperado 28/12/2017].

Everest, A. (2001). The Master Handbook of Acoustics. Nueva York: The McGraw Hill.

Fouché, R. (2012) Analog Turns Digital: Hip-Hop, Technology, and the Maintenance of Racial Authenticity. En Pinch, T. y Bijsterveld, K. (Eds.) (2012) The Oxford Handbook of Sound Studies (pp. 505-525). Nueva York: Oxford University Press.

Grier, J. (2008). La Edición Crítica de Música. Madrid: Akal.

Katz, B. (2002). La Masterización de Audio. Burlington: Focal Press.

Kress, G. y van Leewen, T (2001). Multimodal discourse. The Modes and Media of Contemporary Communication. Oxford: Oxford University Press.

Meintjies, L. (2012) The Recording Studio as Fetish. En Sterne, J. (Ed.) (2012) The Sound Studies Reader. (pp. 265- 282) Oxon: Routledge.

Ord, M. (2017) Song, Sonic Metaphor, and Countercultural Discourse in British Folk-Rock Recordings. En Way, L. y McKerrel, S. (2017). Music as Multimodal Discourse: Semiotic, Power and Protest (pp. 221- 240). Londres: Bloomsbury.

Owsinski, B. (2006). The Mixing Engineer's Handbook: Second Edition. Boston: Thompson.

Pinch, T. y Bijsterveld, K. (Eds.) (2012). The Oxford Handbook of Sound Studies. Nueva York: Oxford University Press.

RA (2011). Introducción a Smaart® v7: Configuración Básica y Medición, disponible online en: https://www.rationalacoustics.com/files/Empezando_con_Smaart_v7.pdf [Recuperado 10/08/2017].

Ribowsky, M. (2000). He's a Rebel: Phil Spector. Nueva York: Cooper Square Press.

Spector, P. (sin fecha). Wall of Sound, disponible online en: https://es.wikipedia.org/wiki/Wall_of_sound [Recuperado 20/01/2017].

Sterne, J. (Ed.) (2012). The Sound Studies Reader. Oxon: Routledge.

van Leeuwen, T. (2017) Sonic Logos. En Way, L. y McKerrel, S. (2017). Music as Multimodal Discourse: Semiotic, Power and Protest (pp. 140- 156). Londres: Bloomsbury.

Way, L. y McKerrel, S. (2017). Music as Multimodal Discourse: Semiotic, Power and Protest. Londres: Bloomsbury.

Way, L. y McKerrel, S. (2017) Understanding Music as Multimodal Discourse. En Way, L. y McKerrel, S. (2017). Music as Multimodal Discourse: Semiotic, Power and Protest (pp. 26- 46). Londres: Bloomsbury.

Xinya, P. (2008) Phychoacoustics. En Ballou, G. (Ed.) (2008). Hadbook for Sound Engineers, Fourth Edition (pp. 41- 64). Oxford: Elsevier.

CAPÍTULO V

PARADIGMAS DE LA PRODUCCIÓN MUSICAL EN LA ERA POST-DIGITAL: LOS RETOS DE LA INDUSTRIA DEL AUDIO ANTE LA "GENERACIÓN *CROWDSOURCING*"

Dr. Marco Antonio Juan de Dios Cuartas

Universidad Complutense de Madrid, España

Resumen

La forma en la que el usuario accede a la experiencia musical ha cambiado radicalmente con el desarrollo de la tecnología digital, y el mundo de la producción musical no es una excepción. Esta nueva realidad, en la que el estudio de grabación se encamina hacia su definitiva "virtualización", no solo implica una ruptura con el arraigo a lo "físico" por parte de una generación de nativos digitales que ya no han vivido la transición del dispositivo *hardware* al *software*, supone de igual modo un cambio en su propia concepción de la producción musical, y en la forma en la que se accede a la formación necesaria para poder desarrollarse profesionalmente. Esta nueva "cultura de lo virtual" establece un nuevo paradigma ante unos procesos de producción cuyas fases se ven afectadas por unas dinámicas de trabajo que difieren de las tradicionales, generando igualmente profundos cambios en los perfiles profesionales y en la propia industria del audio. Aunque el acceso a los múltiples *plugins* de los que dispone en la actualidad un *software* DAW (*Digital Audio Workstation*) para "emular" los dispositivos físicos "reales" ha generado en el mundo profesional del audio profundos debates sobre una aparente involución en la calidad de las producciones, el imparable desarrollo tecnológico parece superar definitivamente el debate de la "autenticidad digital", consolidando la hegemonía de la pantalla como método de trabajo y aportando un importante componente visual a un arte eminentemente sonoro. En este nuevo escenario, el uso del RMCS (*Remote Music Collaboration Software*) plantea nuevos paradigmas en las relaciones entre músicos y productores, desarrollando simultáneamente proyectos que ya no comparten un mismo espacio físico. La integración de las redes sociales dentro de los RMCS aumenta además el compromiso entre los participantes, generando nuevos modelos de producción y difusión musical cuyo impacto cultural, social y económico debe ser analizado.

Palabras claves

Producción musical, productor musical, industria del audio, RMCS, DAW, *crowdsourcing*.

Abstract

The way in which the user accesses the musical experience has radically changed with the development of digital technology, and the world of music production is no exception. This new reality, in which the recording studio is heading towards its definitive "virtualization", not only implies a break with the attachment to the "physical" by a generation of digital natives who have not experienced the transition of hardware to software, it also implies a change in their own conception of musical production, and in the way in which the necessary training to develop professionally is accessed. This new "virtual culture" establishes a new paradigm with production processes whose phases are affected by work dynamics that differ from traditional ones, generating profound changes in professional profiles and in the audio industry itself. Although the access to the multiple plugins currently available in DAW (Digital Audio Workstation) software to "emulate" the "real" physical devices has generated in the professional world of audio deep debates about an apparent involution in the quality of productions, the unstoppable technological development seems to definitively overcome the debate of "digital authenticity", consolidating the hegemony of the screen as a method of work and contributing an important visual component to an eminently sonorous art. In this new scenario, the use of RMCS (Remote Music Collaboration Software) raises new paradigms in the relations between musicians and producers, simultaneously developing projects that no longer share the same physical space. The integration of social networks within RMCS also increases the commitment of the participants, generating new production and musical diffusion models whose cultural, social and economic impact must be analysed.

Keywords

Music production, music producer, audio industry, RMCS, DAW, crowdsourcing.

Introducción

Podríamos afirmar que nos encontramos actualmente ante una situación de "normalidad digital". Muchas de las que llamamos "nuevas tecnologías" han dejado de ser nuevas para integrarse en nuestras actividades cotidianas. Se trata de un hecho que, aunque ya había sido vaticinado por autores como Negroponte hace casi dos décadas, ha estado precedida de un interesante proceso evolutivo que debe ser estudiado para entender el momento en el cuál nos encontramos. En un artículo publicado en la revista Wired en 1998[46], Negroponte señalaba el hecho de que esta "nueva tecnología digital" ya comenzaba a darse por sentada, y cómo sus connotaciones se convertirían en el compost comercial y cultural del mañana. Dice Negroponte en este sentido: "Como el aire y el agua potable, ser digital se notará solo por su ausencia, no por su presencia".[47] Aunque el futuro inmediato propuesto por Negroponte hace ya dos décadas podría acercarse a la ciencia ficción cuando habla de "uñas inteligentes", "camisas que se limpian a sí mismas" o "automóviles sin conductor", su visión de la implantación de la tecnología digital en nuestros días se acerca completamente a lo sucedido. Pero más de tres décadas antes del artículo de Negroponte, en otro artículo publicado en 1964 en el periódico The New York Times, Isaac Asimov planteaba un futuro en el que "las comunicaciones serán audiovisuales y uno podrá ver, además de escuchar a la persona a la que llama".[48] La primera llamada de vídeo transcontinental entre dos lugares se hizo precisamente en 1964 empleando una tecnología desarrollada por Bell Systems, algo que pudo haber inspirado en parte la predicción de Asimov. Aunque el término post-digital puede llegar a ser confuso, ya que puede verse como el fin de lo digital, alude en realidad al proceso disruptivo al que se ha visto sometido nuestra visión y nuestra mentalidad acerca de lo digital. Lo digital ha ido perdiendo esa aureola de maravilla tecnológica en algunos casos o de amenaza en otros, para integrarse con normalidad en nuestras vidas: los ordenadores forman parte de nuestra vida personal al menos desde hace dos décadas, y un ordenador en miniatura nos acompaña omnipresente como parte de nuestro propio vestuario. La era post-digital debería en este sentido implicar un acercamiento al análisis objetivo de las limitaciones y las bondades de la tecnología digital.

La evolución tecnológica se considera como causa determinante, al menos en gran medida, de transformaciones culturales, sociales y políticas, y en el

---

[46] Artículo disponible en línea en https://www.wired.com/1998/12/negroponte-55/ [Recuperado 27/10/2017].

[47] Las citas de autores cuyas obras originales han sido escritas en inglés están traducidas al castellano por el autor de este artículo.

[48] Artículo disponible en línea en http://www.nytimes.com/books/97/03/23/lifetimes/asi-v-fair.html [Recuperado 27/10/2017].

caso de la producción musical constituye una causa inequívoca de su evolución estética. El análisis de la evolución de la producción musical desde una perspectiva tecno-determinista –en relación a las teorías desarrolladas por Thorstein Veblen a finales del siglo XIX– puede justificar un determinado grado de causalidad entre los avances de la tecnología y de la propia música, aunque no debe considerarse ni mucho menos como el único factor. Walter Benjamin, ya señala a comienzos del siglo pasado cómo la máquina se involucra en el ciclo de creatividad: hombre y máquina forman un híbrido que produce obras de arte, es decir, existe una interactividad entre el hombre y la máquina. La interactividad hombre-máquina forma parte de este proceso de normalización post-digital donde la frontera digital, ese límite que nos imponemos simbólicamente entre lo digital como sinónimo de virtual e ilusorio y el mundo físico o analógico, aparece cada vez más difuminado. Las plataformas de colaboración post-digitales modifican de modo irreversible "el aquí y ahora de la obra de arte, su existencia irrepetible en el lugar en que se encuentra" (Benjamin, 1989: 20), porque la obra de arte surge ahora de manera sincrónica en diferentes lugares separados físicamente, aunque unidos por la comunidad virtual que comparten.

Esta nueva era post-digital, en la que el estudio de grabación se encamina hacia su definitiva "virtualización", no solo implica una ruptura con el arraigo a lo "físico" por parte de una generación de nativos digitales que ya no han vivido la transición del dispositivo *hardware* al *software*, supone de igual modo un cambio en su propia concepción de la producción musical, y en la forma en la que se accede a la formación necesaria para poder desarrollarse profesionalmente. Esta nueva "cultura de lo virtual" establece un nuevo paradigma ante unos procesos de producción cuyas fases se ven afectadas por unas dinámicas de trabajo que difieren de las tradicionales, generando igualmente profundos cambios en los perfiles profesionales y en la propia industria del audio. En este nuevo escenario, el uso del denominado *Remote Music Collaboration Software* (RMCS) plantea nuevos paradigmas en las relaciones entre músicos y productores musicales, desarrollando simultáneamente proyectos que ya no comparten un mismo espacio físico. La integración de las redes sociales dentro de estos programas aumenta además el compromiso entre los participantes, creando una comunidad virtual que genera nuevos modelos de producción y difusión musical con un importante impacto cultural, social y económico. La interconectividad inmediata que proporcionan las redes sociales, junto a las dinámicas de trabajo colaborativo que permiten la transmisión de datos en red, condicionan la presentación comercial de estos nuevos productos tecnológicos al servicio de la inspiración y el flujo de trabajo. La industria de la tecnología de la grabación asociada a los desarrolladores de *software* se caracteriza por un modelo de negocio basado en la renovación constante, planteando de forma periódica nuevas revisiones de sus productos en las que se proponen importantes mejoras que se presentan como imprescindibles para el productor musical actual y "actualizado". Las versiones tienen una vida muy corta, y en su obsolescencia reside indudablemente el modelo de negocio de las empresas. Aunque las novedades en cada nueva versión de un *software* DAW (*Digital Audio Workstation*)[49] siempre han estado encaminadas a la mejora del flujo de trabajo relacionado con determinadas funciones como el ajuste automático de los *loops* al BPM[50] del proyecto, mayores facilidades en el proceso de edición, nuevas herramientas de cuantización y afinación o mejora en la calidad del *bounce*, una de las principales novedades de los *software* de producción de audio en los últimos años, y de otros editores destinados a la industria creativa como los editores de imagen o de vídeo, ha sido la integración dentro del menú de funciones que permiten enviar una copia de respaldo e incluso publicar directamente en la nube a través de diferentes plataformas. De este modo, la ventana a un mundo virtual global se abre a través del propio *software*, y sin la necesidad de recorrer previamente el camino desde la dimensión *off-line*. Las consecuencias de la integración de herramientas de colaboración remota en los *software* de producción, permitiendo compartir a tiempo real un mismo proyecto *multitrack* entre varios usuarios e incorporando *chats* y *webcams* es aún imprevisible. Aunque aún no pueda evaluarse realmente el impacto de esta tecnología en las industrias creativas, el análisis de algunos vídeos promocionales adquiere un gran interés para el investigador. Por lo general, en la promoción de estas nuevas funcionalidades por parte de las marcas, se plantean situaciones en las que el *Remote Music Collaboration Software* (RMCS) permite crear desde la intimidad, seleccionando el mayor o menor grado de exposición pública hacia una comunidad virtual en la que es el propio músico-ingeniero-productor quien decide o no estar.

Make Music Everywhere

A través de un análisis descriptivo del vídeo promocional de la herramienta de colaboración en red de Avid —empresa que desarrolla el estandarizado *software* de producción musical Pro Tools— se pueden desprender varias ideas clave.[51] El mensaje principal del vídeo está basado en el eslogan "Make Music Everywhere", planteando un nuevo escenario en el cual la ubicación

---

[49] Una estación digital de audio es un *software* especializado que permite realizar múltiples acciones dentro del proceso de producción musical –grabación, edición de audio y MIDI, mezcla y/o *mastering*– sin necesidad de emplear otro *software* aparte.

[50] Los "Beats Per Minute" (BPM) indican la velocidad de reproducción del proyecto musical.

[51] Disponible on-line en: https://www.youtube.com/watch?v=C1q2EwBIjd4 [Recuperado 10/11/2017].

física de los miembros integrantes de un proyecto de producción musical deja de ser un factor determinante. Aunque la captación de ideas en un espacio doméstico e íntimo no es una novedad de la sociedad actual –The Beatles ya habían adquirido en la década de los 60 grabadoras portátiles para registrar sus ideas musicales individualmente antes de llevar los temas al estudio de grabación, donde se volverían a grabar con los dispositivos profesionales de los estudios de Abbey Road–, la gran diferencia reside ahora en el hecho de que Avid presenta su comunidad de colaboración virtual como "parte del proceso de producción", desdibujando la línea que tradicionalmente ha separado la "grabación doméstica" de la "grabación dentro de un entorno profesional": esta nueva realidad genera el debate que enfrenta la idea de la democratización del acceso a la grabación frente a la desprofesionalización del sector y la desaparición de los grandes estudios de grabación. Desde una perspectiva empresarial, cabe señalar el hecho de que esta nueva situación, lejos de generar una crisis en el sector de la industria del audio profesional, ha constituido una gran oportunidad generando un nuevo modelo de negocio con dispositivos mucho más baratos pero también más accesibles para el gran público, aumentando exponencialmente lo que originariamente era un nicho de mercado reducido a los estudios de grabación profesionales. Desde la década de los 80 del siglo pasado la popularización de los estudios portátiles de grabación basados en cinta, junto a la aparición del MIDI y los primeros *samplers* digitales, generan un importante mercado destinado el sector aficionado y semiprofesional, con una importante repercusión en los *home studios* asociados principalmente a determinados géneros como la música electrónica o el hip hop. La aparición de dispositivos como la serie Emulator de la empresa E-MU, el modelo S900 de Akai o en el Ensoniq Mirage, hacen mucho más asequible el acceso de los productores musicales a esta nueva tecnología digital que otros dispositivos inmediatamente anteriores como el Fairlight CMI o el Synclavier, totalmente inaccesibles para los limitados recursos económicos de cualquier músico o productor de la escena *underground*. Este hecho permitirá la incursión definitiva del *sampling* en la música electrónica popular y la utilización de técnicas de edición solamente posibles mediante la tecnología digital aunque, en algunos casos, convivirá inicialmente con la edición analógica sobre cinta. La década de los 90 implicará por otra parte la popularización de sistemas de grabación digitales asequibles, como el ADAT de Alesis o el Tascam DA88, que implican una reducción considerable del soporte de grabación empleando cintas de vídeo VHS o Hi-8. Aunque estos sistemas irán creciendo en popularidad hasta la aparición de las estaciones de trabajo digital basadas en ordenador, hay una diferencia fundamental respecto a los formatos precedentes: todos los formatos orientados al consumidor del *home studio* presentan una calidad objetivamente inferior a la de los dispositivos presentes en los estudios de grabación profesional.

El entorno profesional de la grabación retrasó la inmersión digital de sus estudios debido a una desconfianza inicial hacia los nuevos formatos digitales, la más que probable inadaptación de los ingenieros de audio a los nuevos métodos de trabajo y la objetiva pérdida de calidad que estos soportes suponían respecto al magnetófono de bobina abierta. Aunque la versión 1.0 de Pro Tools aparece oficialmente en 1991, no será hasta la versión 5, en 1999, cuando se comience a utilizar regularmente en la industria *mainstream* con la grabación del tema "Livin' la Vida Loca" de Ricky Martin, realizada por el ingeniero de audio Charles Dye. A pesar de que el uso de Pro Tools siga suscitando intensos debates en el sector profesional y que cuenta con una gran competencia dentro de la industria de la tecnología de la grabación, su estandarización actual a nivel global es incuestionable. El proceso de democratización en el uso de una tecnología digital, cuya utilización en la producción musical se remonta a finales de la década de los 70, nos permite hablar de un nuevo contexto post-digital que proporciona nuevas herramientas creativas y que plantea nuevos paradigmas que nos permiten cuestionar los límites entre la experiencia física y virtual de la *performance*.

El compositor de música electrónica Kim Cascone (2002) emplea el término post-digital para describir las nuevas tendencias dentro de la denominada *computer music*, adelantando algunas ideas perfectamente extrapolables al análisis del vídeo promocional de Avid Cloud Collaboration. Cascone, tomando a Negroponte como referencia, se apropia del término post-digital para justificar una situación en la que el período revolucionario de la información digital probablemente ya había pasado: "el medio ya no es el mensaje, más bien, las herramientas específicas se han convertido en el mensaje" (Cascone, 2004: 393). Decía Cascone a propósito del impacto de internet en la música:

> Internet fue creado originalmente para acelerar el intercambio de ideas y el desarrollo de la investigación entre centros académicos, por lo que no debería constituir una sorpresa el hecho de que sea el responsable de ayudar a crear nuevas tendencias de la música por ordenador fuera de los límites de los laboratorios de ideas académicos [...]. Un compositor "no académico" puede buscar en internet tutoriales y documentos sobre cualquier aspecto de la música para obtener una buena comprensión básica de la misma (ibíd.).

Cascone, a quién podríamos unir a otros "visionarios" como los citados Negroponte o Asimov, también tuvo el acierto de describir este escenario antes de la incursión de Youtube o de Facebook.

Pero en el caso del vídeo de Avid el mensaje va más allá del "intercambio de ideas", proponiendo una herramienta basada en el trabajo colaborativo. El "intercambio de ideas" se convierte de este modo en "producción musical colaborativa", transformando las dinámicas de trabajo inherentes al estudio de grabación tradicional. Cualquier espacio del ámbito doméstico se convierte, en el vídeo promocional de *Avid Cloud Collaboration*, potencialmente en un "laboratorio sonoro", y el flujo creativo va pasando por el espacio íntimo de una habitación, el espacio familiar colectivo del salón de la casa acompañado de otros elementos como el televisor o la pizza y, en definitiva, por todos los espacios "personales" de cada uno de los integrantes de este proyecto colaborativo: un espacio íntimo abierto a una comunidad creativa en la nube a través de la pantalla del ordenador.

El "factor visual" afecta al músico que adopta el rol de ingeniero-productor musical en todas las fases del proceso de producción, vinculando el estudio de grabación digital a la constante monitorización del proceso a través de una pantalla, e introduciendo en la producción discográfica el concepto de *"screenology"* al que hace referencia Erkki Huhtamo (2004). Como consecuencia de este progresivo proceso de "pantallización" se han consolidado superficies de control como el modelo Raven[52] de la empresa *Slate Digital*, donde todas las acciones relacionadas con el proceso de grabación, edición, mezcla y *mastering* se convierten en táctiles, y donde los aspectos visuales adquieren el mismo protagonismo que los auditivos.

Pero una producción discográfica es, ante todo, una actividad artística que surge a partir de la "colectividad". En un acercamiento pionero en el entorno académico al estudio de la figura del productor musical, Antoine Hennion (1983) señala cómo el "colectivo creativo" que se apodera de todos los aspectos de la producción de una canción popular sustituye al "creador individual". Pero esta aparente pérdida del "colectivo creativo" desde una perspectiva tradicional, sustituido por una "colectividad virtual" que surge desde la individualidad de unos espacios íntimos, no se presenta como algo excluyente sino como una parte del proceso creativo de la producción musical, teniendo en cuenta que durante el desarrollo del vídeo promocional de Avid se termina produciendo el "encuentro físico", en primer lugar en una cafetería que pasa a formar parte de ese "laboratorio global de ideas" y finalmente en el esperado estudio de grabación, quizás porque la grabación de baterías es un handicap en el limitado espacio físico y sin insonorizar de los *home studios*.

Dejando aparte el debate de la calidad del acondicionamiento acústico en los espacios empleados en las grabaciones, en el vídeo de Avid se da por supuesto la idea de que las grabaciones no son demos, sino que constituyen una parte integrante del proyecto final y, por lo tanto, se propone un método de trabajo en el que los *tracks* emprenden un *trip* tecnológico que genera nuevas dinámicas en el desarrollo de una producción musical. Por otro

---

52 Ver: http://www.slatemt.com/products/raven-mti/ [Recuperado 10/11/2017].

lado, una sociedad hiperconectada como la actual demanda la integración de un *chat* dentro del *software* DAW de grabación, y justifica el hecho de que al abrir el programa, Pro Tools plantee la selección de un proyecto local –aunque digital, vinculado a la experiencia física de la *performance*– y un proyecto en la nube para el que es necesario activar una cuenta de usuario que ubica al músico en el rol de productor musical dentro de una comunidad creativa virtual.[53] Esta dicotomía entre el proyecto personal e íntimo y la exposición de ideas musicales ante la comunidad creativa puede apreciarse en otros programas de colaboración en la nube como Ohm Studio[54], que permite dentro de un mismo proyecto la creación de un *track* de audio público y un *track* de audio privado, preservando la individualidad creativa cuando el compositor lo necesite. El "colectivo creativo" señalado por Hennion definía un modelo empresarial basado en la alta especialización que se ha desdibujado dentro del actual contexto de la industria musical, donde el cambio en el modelo de negocio tradicional basado en la venta física junto al abaratamiento de la tecnología de la producción destinada al *home studio* han conseguido para unos "inocular" la filosofía del Do It Yourself a los denominados "*bedroom producers*", con la consiguiente pérdida de profesionalidad dentro del sector, y para otros "liberar" el proceso creativo en una suerte de democratización tecnológica. La evolución tecnológica que ha permitido plantear una producción musical colaborativa dentro de un entorno digital virtual, junto al acceso a múltiples *plugins* que permiten "emular" los dispositivos físicos del pasado, han generado en el mundo profesional profundos debates sobre una aparente involución en la calidad de las producciones provocando fenómenos revival que han permitido conservar en los estudios de grabación dispositivos *vintage* que conviven con la última tecnología de grabación digital, un fenómeno que pervive dentro del sector profesional del audio y que ha sido estudiado por algunos autores (Braun, 2009; Pinch y Reinecke, 2009) bajo el término "technostalgia".

Pero lo realmente interesante en este punto reside en el hecho de que la tecnología *vintage* no siempre busca la representación de una imagen sonora que evoque el pasado, sino que se muestra como un elemento indispensable dentro de un proceso en el que lo analógico sigue siendo sinónimo de calidad. Existe aún en la actualidad una opinión generalizada dentro del sector profesional del audio de que la tecnología digital aún no ha podido superar las características sonoras de determinados dispositivos clásicos:

---

[53] El menú *Dashboard* de Pro Tools ofrece las siguientes opciones para abrir un proyecto: "Local Storage (Session)", que permite el desarrollo de un proyecto *offline*; o "Collaboration and Cloud Backup (Project, Sign In Required)" que permite el desarrollo del proyecto *on-line* de una forma colaborativa y donde la copia de seguridad se realiza directamente en la nube.
[54] Ver: https://www.ohmstudio.com/ [Recuperado 10/11/2017].

mesas de mezcla, preamplificadores o ecualizadores *hardware* siguen conviviendo en muchos estudios de grabación con *interfaces* de audio, ordenadores y las últimas versiones de un *software* DAW, que en la mayoría de los casos es precisamente Pro Tools. La "technostalgia", tal y como señalan Pinch y Reinecke (2009), no implica necesariamente volver a un pasado en particular. En muchos casos supone un movimiento hacia nuevos sonidos y nuevas interacciones, ya sean auditivas, sociales o físicas, concretadas a través de combinaciones del pasado y del presente que encuentran un equilibrio en lo que se ha dado en llamar "estudio híbrido", donde el entorno analógico convive con el digital aunque adoptando finalmente sus formatos de difusión y escucha en *streaming*.

A diferencia de otros períodos históricos en los que una novedad tecnológica aparecía normalmente en escena como un rival directo –y de algún modo una amenaza– ante los formatos preexistentes, en este caso, existe una cierta intencionalidad cuando se presenta *Avid Cloud Collaboration* como una herramienta al servicio de otros dispositivos, tanto digitales como analógicos, y tampoco es casual que al final del vídeo promocional aparezcan las imágenes del estudio tradicional, teniendo en cuenta, que la "technostalgia" a la cuál nos hemos referido anteriormente sigue siendo en la actualidad un sentimiento muy arraigado en el sector profesional del audio. En cualquier caso, el mensaje principal del vídeo promocional de Avid se centra en el flujo creativo y en la ayuda que esta metodología colaborativa ofrece para el desarrollo de una creatividad que se comparte de inmediato. Aunque existen determinantes económicos y sociales que influyen evidentemente en el resultado creativo de una producción –las producciones discográficas con mayor capacidad de influencia en ingenieros y productores a nivel internacional han surgido en el primer mundo, en ciudades con una actividad económica dominante que ha permitido crear infraestructuras tecnológicamente vanguardistas en un entorno de diversidad cultural (Londres, Nueva York, Los Ángeles...)–, en este nuevo contexto virtual post-digital el individuo creativo desarrolla su trabajo en un espacio cuyos parámetros culturales también dependen de las características de la comunidad a la que pertenece dentro de la red, un ámbito social que depende a partes iguales de la ubicación física y la relación virtual de sus componentes. Aunque las herramientas de colaboración remota que ofrecen los actuales *software* DAW pueden hacernos pensar en un cambio en el ámbito que juzga el acceso del individuo creativo al dominio cultural, creando sus propias comunidades multiculturales sobre las que él mismo ejerce el control, la realidad actual no nos permite afirmar que pueda llegar a tener un impacto sobre los centros de control que imponen las tendencias musicales.

La "generación *crowdsourcing*"

En este nuevo contexto post-digital debemos preguntarnos necesariamente en qué medida se ve afectado el proceso tradicional de la producción. Aunque *a priori* el uso del *Remote Music Collaboration Software* (RMCS) no conlleva un cambio significativo en las fases tradicionales de la producción de un disco, sí que existe una tendencia a transformar un proceso tradicionalmente lineal en cíclico, principalmente durante las fases de grabación, edición y mezcla, que dentro de este nuevo escenario post-digital se realiza de forma simultánea llevando a cabo un *trip* tecnológico de constantes idas y vueltas. El proceso de producción dentro de un *software* DAW adopta de este modo una estructura cíclica en la que la grabación, la edición y la mezcla se desarrollan sincrónicamente formando parte del proceso compositivo. Por otro lado, el uso del RMCS permite al músico-ingeniero-productor solicitar segundas opiniones tanto técnicas como musicales, o colaboraciones puntuales para un determinado *track* dentro de una red global de trabajo colaborativo proporcionada por el mismo *software* a través de una suscripción.

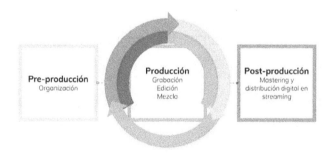

Las dinámicas de "*crodwsourcing*" que se generan con el uso del RMCS afectan principalmente a la fase de grabacion, edición y mezcla

Martin Koszolko (2015) propone la utilización del término "*crodwsourcing*", acuñado incialmente por Jeff Howe (2006) para definir este tipo de prácticas musicales creativas a través de la nube. El "*crodwsourcing*" está basado en una colaboración abierta que consiste en externalizar tareas, tradicionalmente atribuidas a empleados o contratistas, dejándolas a cargo de un grupo numeroso de personas o de una comunidad (virtual en este caso), a través de una convocatoria abierta. El "*crodwsourcing*" no cambia drásticamente las fases de una producción musical pero sí las jerarquías tradicionales dentro del estudio de grabación, un espacio creativo fragmentado en múltiples estancias que conviven dentro de un espacio virtual global. Para Koszolko (2015) las metodologías de colaboración facilitadas por el *Remote Music Collaboration Software* (RMCS) suponen un importante avance para la comunidad creativa relacionada con la producción musical. Estas herramientas integrales de comunicación fomentan la experimentación y la puesta en común del conocimiento hacia un mismo objetivo. Dado que cualquiera puede unirse a proyectos configurados como públicos —recordemos en este sentido la opción que ofrecen la mayoría de los *software* DAW de seleccionar el grado de privacidad de los proyectos e incluso los *tracks* de forma individual–, la colaboración basada en la nube abre el estudio de grabación a invitados musicales que de manera espontánea pueden aportar innovación, habilidades y nuevos equipos a la producción: además de aportar su conocimiento musical y su capacidad interpretativa, los participantes aportan a la producción sus instrumentos y sonido únicos. Estas nuevas dinámicas de trabajo son adoptadas en muchos casos por una generación de nativos digitales que no han vivido el cambio hacia lo digital y que asimilan estos procesos desde la normalidad, aceptando las nuevas reglas impuestas por el proceso disruptivo de la industria musical. Koszolko (2015) destaca la generosidad de los músicos que forman las comunidades creativas asociadas a estas herramientas *software* de colaboración remota, una generosidad que se expresa en la predisposición para dedicar una cantidad considerable de tiempo a la experimentación y al desarrollo de proyectos musicales, generalmente sin una intención de discutir las cuestiones financieras. El productor musical que comienza su actividad en este nuevo contexto post-digital, la comunidad creativa que conforma esta generación "*crodwsourcing*", encuentra un importante apoyo en estas plataformas para el desarrollo de sus actividades creativas, manteniendo una red con un alto rendimiento a nivel creativo pero alejada *a priori* de una rentabilidad económica razonable.

Conclusiones

La era post-digital plantea un nuevo escenario creativo en el que la colectividad virtual digital convive con la experiencia analógica individual. Los nativos digitales se enfrentan al cambio generacional del sector de la producción musical utilizando procesos y dispositivos analógicos heredados que son imitados virtualmente dentro de una pantalla. La denominada generación "*crodwsourcing*" se construye de este modo sobre un nuevo escenario en el que la realidad y la virtualidad comparten experiencias musicales dentro de un mismo entorno deslocalizado. El uso del *Remote Music Collaboration Software* (RMCS) aporta por una parte una interesante herramienta que beneficia el intercambio de ideas entre la comunidad creativa, y por otra supone una importante oportunidad de negocio para una industria de la tecnología de la grabación obligada a la renovación constante. Pero el impacto positivo de esta nueva tecnología sobre la propia industria creativa es cuestionable teniendo en cuenta que la utilización de espacios domésticos para el proceso de producción, relacionados con los *home studios*, están relacionados por lo general con un proceso disruptivo digital en el que las jerarquías tradicionales en los procesos de producción discográfica se difuminan bajo una filosofía DIY, que conlleva la desprofesionalización de un sector que no encuentra la rentabilidad económica derivada del trabajo colaborativo en la nube.

Referencias bibliográficas

Benjamin, W. (1989). "La obra de arte en la época de su reproductibilidad técnica" en Discursos interrumpidos, I, Madrid, Taurus, pp. 15-57.

Braun, H. (2009). Pulled out of Thin Air? The Revival of the Theremin. En K. Bijsterveld & J. van Dijck (Eds.), *Technostalgia: How Old Gear Lives on in New Music* (pp. 139-151). Amsterdam University Press.

Cascone, K. (2004). The Aesthetics of Failure: "Post-Digital" Tendencies in Contemporary Computer Music. En C. Cox y D. Warner (Eds.), *Audio Culture: Readings in Modern Music* (pp. 392-398). New York: Bloomsbury Publishing.

Hennion, A. (1983). "The Production of Sucess: An Anti-Musicology of the Pop Song". En: *Popular Music*, Vol. 3, pp. 159-193.

Howe, J. (2006). The Rise of Crowdsourcing. En: *Wired Magazine*. Nº 14.6. Disponible on-line en: http://archive.wired.com/wired/archive/14.06/crowds.html [Recuperado 4/11/2017].

Huhtamo, E. (2004). Elements of Screenology. Toward an Archeology of the Screen. En: *ICONICS, International Studies of the Moderm Image*, 7, pp. 31-82.

Koszolko, M. (2015). Crowdsourcing, Jamming And Remixing: A Qualitative Study Of Contemporary Music Production Practices In The Cloud. En: *Journal on the Art of Record Production (JARP)*, nº 10. Disponible on-line en: http://arpjournal.com/crowdsourcing-jamming-and-remixing-a-qualitative-study-of-contemporary-music-production-practices-in-the-cloud/ [Recuperado 4/11/2017].

Negroponte, N. (1998). Beyond Digital. En *Wired Magazine*. Nº 6.12. Disponible on-line en: https://www.wired.com/1998/12/negroponte-55/ [Recuperado 27/10/2017].

Pinch, T. y Reinecke, D. (2009). Technostalgia: How Old Gear Lives on in New Music. En K. Bijsterveld & J. van Dijck (Eds.), *Technostalgia: How Old Gear Lives on in New Music* (pp. 152-166). Amsterdam University Press.

Veblen, Thorstein (1898): Why Economics is not an Evolutionary Science, *Quarterly Journal of Economics*, vol. 12 (Julio 1898), pp. 373-426; vol. 14 (febrero 1900), pp. 240-269.

CAPÍTULO VI

PARADIGM SHIFTS IN THE TECHNOLOGICAL SPATIALIZATION OF MUSIC

Tiernan Cross

Sydney Conservatorium of Music, Australia

Abstract

Sound reproduction technologies have made a radical impression on the way in which composers apply and understand spatialization in electroacoustic music. Furthermore, technological developments relating to sound projection over the last century have shattered previous conceptual boundaries between sound and music aesthetic in space (Belgiojoso, 2016), allowing composers to develop new approaches to sound and innovative musical ideas. As a result, new concepts concerning spatialization of sound are of growing interest to researchers, composers and engineers alike (Peters, Marentakis & McAdams, 2011).

The aim of this paper is to evaluate past, present and possible future shifts in the current paradigms of music spatialization, in attempt to gain an understanding of what the future of spatialization in music will look like as a result of constant technological conversion. It will look at the origins of spatialization in classical music and how technology has propelled the utilization of space in music forward, whilst assessing current methodologies that have potential to drive research toward an expansive future. This paper will discuss quantitative-led research that focuses on ways in which electroacoustic composers can lessen the currently steep learning curves faced when approaching complex physical and virtual sound spatialization interfaces. This paper will place emphasis on the history of time and space in music and how technology will continue to be an imminent, pivotal force in the development and application of spatiotemporality looking forward. The results of this paper will illustrate that the deliberate use of current digital sound technologies in the composition and presentation of music have broken down previously conventional boundaries, therefore allowing room for greater complexity in sound spatialization. This paper will discuss how convergence and music are interwoven, revolving around a series of patterns and processes in an intrinsic response to post-digital technology (see DiMartino, 2016, p. 189, Barrett 2016). With reference to a wide scope of literature, it will suggest that composers are potentially failing to keep up with available digital sound projection technologies, as research argues that a majority of musicians demonstrate tendencies to stay within their comfort zones when it comes to adopting new technologies. It will argue that although the comprehension and application of spatiotemporality in music is developing in many ways there is still a great deal of research to be done in exploring the post-digital age and its parallels to music composition.

Keywords

Spatial music, electroacoustic, 3-D sound, computer music, spatiotemporal.

Introduction

The perpetual development of modern technology has made a dramatic impact on how we implement and understand spatialization in electroacoustic music (Otondo, 2008). Furthermore, these technological expansions have helped break down previous conceptual barriers between sound and music aesthetic in space (Belgiojoso 2016), allowing composers to shift the hegemonic trends of spatial audio to develop new approaches and musical ideas (Zvonar, cited in Otondo, 2008). As a result, new concepts concerning spatialization of sound are of growing interest to researchers, composers and engineers alike (Peters, Marentakis & McAdams 2011, p. 10). The aim of this paper is to evaluate shifts in the archetypes and trends of music spatialization, in attempt to gain insight into what the future of spatial music will look, or sound, like as a result of future technological change. It will look at the origins of spatialization in classical music and how technology propelled the utilization of space in music forward, whilst assessing current methodologies that have potential to propel research toward an expansive future.

This paper will discuss the establishment and reconfiguration of acoustic space and its role in both classical and electroacoustic music. By looking at pioneering composers in the classical realms of music and their early experimentation into the spatialization of chorale and instrumental composition this paper will examine the abilities and conceptual beginnings of composers utilising space to create sonic movement within musical work. This paper will highlight the pivotal works of Stockhausen, Xenakis and Varese, arguing that each composer helped pave way for normalising the use of spatial configuration as a primary role in 20th century music, and discuss their segue between two-dimensional and three-dimension sound production systems. This paper will draw conclusions based upon the author's recent quantitative research that looks at the role of the modern electroacoustic composer and how they adapt to progressive computer-based spatialization processes as a result of constant technological change.

At its core, spatial music is the performance or playback of music composed with specific intent to exploit sound localisation in an acoustic environment. Blauert in his 1997 book *Spatial Hearing: the Psychophysics of Human Sound Localization*, deconstructed the idea of spatial hearing into two simplified functions; the first enabling the listener's cognitive processes to localize sound sources and furthermore to separate individual sound sources based on their spatial locations (Blauert, 1999). Since the establishment of early classical music, composers and acoustic architects have experimented with the conveyance of sound to listeners, with treatments fluctuating over time to acclimatize to the possibilities brought about by technology. As stated by Rumsey (2001), the purpose of space in music is to create "some form of spatial interaction or human orientation" (p. 19) within physical and virtual acoustic environments, with newer forms of technology allowing these variations of interaction to increase. In Begault's substantial work, *Auditory and Non-Auditory Factors that Potentially Influence Virtual Acoustic Imagery,* he stated that "room acoustics, listening position and spatio-temporal asynchronies all influence the way in which we perceive sound." (Begault, 1999). Whilst early interest in the manipulation of acoustic spatial experience dates as far back as early antiphonal ideas (Lyon, 2016), instances such as these can be deemed the exception, as spatialization more often than not took a subordinate role in music composition. Harmonic creativity took precedence over sonic movement. Major developments of the spatialization of music and sound can often be linked with the technological development of electroacoustic music that took place within the twentieth century (see Barrett, 2016, Bates & Boland, 2016, p. 2). Nonetheless, pioneering spatialization in acoustic environments can be noted through the application of locally dispersing musical ensembles across acoustic spaces and the layering of harmonic timbre within the work of modernist composer Charles Ives, and notably adopted by experimental composer Henry Brant, with the placement of various orchestral soloists off-stage (Harley, 1997). Ives' idea of spatial placement was later developed by composers such as Stockhausen and Brant with intent to create abstract sonic rearrangement amongst audiences (Lyon, 2014, p. 850).

General Objectives

As the architecture of large, physical spaces changed throughout the twentieth century, in turn so did acoustic architecture and the approach to which music was written for differing acoustic performance spaces. Composers took on the role of aural architects and started to incorporate spatialization by positioning performers in geometric patterns such as segmented squares, rectangles and circles (Trochimczyk, 2001, p. 45). An early example of this is Karlheinz Stockhausen's 1959 work *Carre,* in which four orchestras were positioned at central points on each side of a rectangular performance space, encompassing an audience (Trochimczyk, 2001). In addition to its arithmetic layout, *Carre* presented further spatial complexity, linking each orchestra together with overlapping temporal patterns (Trochimczyk, 2001). In spaces such as these, research notes that composers such as Stockhausen used space as an element for added articulation

(Lyon, 2016), whilst other works such a *Gruppen* followed recurring themes in utilizing space as a medium in which to separate timbre (Normandeau, 2009).

Further example of spatial separation can be noted in the work of Greek architect-turned-composer Iannis Xenakis, in particular *Terretektorh* (1965-1966), in which Xenakis divided all 88 players of an orchestra into eight segmentations (Kanach 2003, p. 164), scattering the audience within those same divisions almost unsystematically (see Figure 1). Trochimcyzk (2011) notes how Xenakis purposefully experimented with the proximity of sound between source and listener to create "a new aural experience strengthened by the movement of sound masses in space" (p. 47). By conglomerating the audience and orchestra Xenakis presented a new way of experiencing music in acoustic spaces (LaBelle, 2006, p. 186).

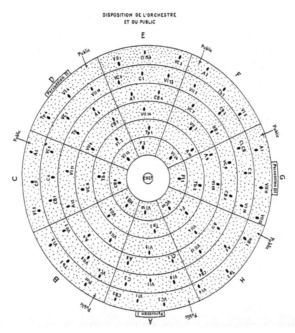

Figure 1: Formation of performers in Xenakis' Terretektorh (1965-1966). - (Trochimcyzk 2011, p. 48)

In as much, it becomes important to examine the current state of sound spatialisation in music and ways in which composers can normalise the complexities of larger multichannel sound systems. With the turn of electronic reproduction of sound, the spatial aspect of sound began to exploit the use of loudspeakers to project sound and manipulate acoustic environ-ments. Moreso, with the inception of electroacoustic music and the repro-duction of sound by the 1950s, the treatment of loudspeakers to project sound began to shift aesthetic possibilities and manipulate acoustic envi-ronments (Cabrera, Kuchera-Morin & Roads 2016, p. 47) with research since proving that science and music are interwoven, revolving around a series of patterns and processes in an intrinsic response to technology (see DiMartino, 2016, p. 189, Barrett, 2016). With minor exceptions in earlier periods of history, it was during this era that composers began to intention-ally use space as a fundamental element in the transmission and movement of sound in music.

Revolutionary works showcasing such response to the technological change include Iannis Xenakis' *Concrete PH* and Edgard Varese' *Poeme Elec-tronique* both of which were featured within the Philips Pavilion at the 1958 World Fair in Brussels (Alejandro Garavaglia, 2016, p. 80). Both works were projected through some four-hundred loudspeakers on an eleven-channel system within the Pavilion in a way that had never been done, nor experienced by listeners before (Trieb, 1996). These works catapulted the previously abstract concepts of electronic music spatialization to the fore-front of interest within public and academic circles of sound and music (Trieb cited in Cabrera, Kuchera-Morin & Roads, 2016, p. 47). Another early example of high density loudspeaker projection can be seen through Xenakis' work *Hibachi Hana Ma*, an 18-minute composition presented on 8 channel tape projected through a system of over 800 speakers scattered above and around the audience within the Japanese Steel Pavilion at the Osaka World Fair in 1970 (Harley, 1996, p. 125). It becomes abundantly clear that Xenakis formulated his own techne, drawing listeners into im-mersive unique, dense, spatial environments, (Harley, 1996, p. 125). Simi-larly, in 1991, Karlheinz Stockhausen premiered his work *Oktophonie*, pro-duced for an octophonic sound system, more specifically in vertices of an octophonic cube. His reasoning behind the eight discrete channels was to create a unique experience for the listener by assigning sound content to various locations in space (Brümmer, 2017, p. 52), with Clarke & Manning (2008) describing it as a complex and multi-layered "unique, three-dimen-sional spatial perspective" (p. 182) for the immediate audience. With refer-ence to Oktophonie and his earlier works it becomes apparent that Stock-hausen's approach to technology engaged the aspect of spatialization for three-dimensional arrangement, whilst concurrently developing a distin-guishable compositional vocabulary that utilized the resources available to him throughout certain points in his career (Clarke & Manning, 2008, p. 186).

Method

Whilst giving a presentation at CCRMA on the future of spatial music in multichannel environments, Eric Lyon made the point that music developed for mass number of loudspeakers commands a presence which smaller formats, such as stereophonic, simply cannot match. (Lyon, 2016). Though previously most acousmatic work had been composed in stereo and diffused over loudspeakers, the commercial introduction of multi-channel audio beyond that of stereo and quad largely began when in 1976 Dolby suggested the 5.1 loudspeaker system as a format for cinema sound (Martin & King, 2015, p. 1). In 2008 statistics gathered by Felipe Otondo signified that 5.1 surround systems had finally surpassed stereo systems as the sound format most favoured among contemporary composers (Otondo, 2008). Since then, three-dimensional sound systems such as the Hamasaki 22.2 sound system, originally unveiled in 2005, have been integrated into audio-visual industries to offer listeners high-quality, immersive spatial impressions (Hamasaki & Baelen, 2015, p. 1). The introduction of these larger sound systems offer an indicative perspective at how greater, newer sensations of presence can be achieved over "wider listening area(s) compared with conventional multichannel audio systems", formulating unique experiences for listeners (Hamasaki, Hiyama, Okumura, 2005, p. 3). From the data collected by Hamasaki & Baelen (2015), it is revealed that the 22.2 multichannel sound system can fabricate greater sensations in quality, reality and presence in wider listening areas than 5.1 and 2.0 multichannel sound systems with further studies revealing that lateral based systems lack the ability to localize sound vertically and fail to produce realistic or spatially immersive three-dimensional sound cues (Jot & Fejzo, 2011, p. 3). Auxiliary testing proved that three-dimensional sound systems were better than its predecessors in terms of depth, elevation, direction, spaciousness and envelopment (Hamasaki & Baelen, 2015, p. 6). It rapidly becomes clear that three-dimensional multichannel sound systems have the capability to produce superior impressions of spatial sound than that of two-dimensional sound systems.

As outlined by Frederico (2015, p. 245) "the spatial properties of sound such as perceived distance, direction and motion of sound are essential elements in the musical structure or in the perceptions that the composer/sound artist intends to produce in the listener." Furthermore, evidence indicates that the mind's sensory perception of sound is often associated with extensive physical and biological developments (Pannese, 2012, p. 594). Continual exposure to organic environmental spatial conditions have wired the human brain to cognitively interpret certain sound cues and either localise them through expectation or experience newer sensations (Rumsey, 2011, p. 33). The human brain's cognitive development of spatial sound awareness helps us as listeners make sense of our acoustic environments and the aural experiences we have in these environments (Rumsey, 2011, p. 42). Through frequent exposure to varied acoustic sound fields our auditory spatial awareness develops our listening abilities and in turn our experiences of music (Blesser & Salter, 2007, p. 12).

Acoustically, the evolution of harmonic listening has developed alongside the progression of 20th and 21st century sound technologies (see Landy 2007, Lyon 2014). As stated by Kern (cited in Sterne, 2003) sound technologies "have amplified and extended our sense of hearing across time and space" (p. 6). We as listeners have adapted to new ways of experiencing spatialized sound, and we now hear configurations of sounds as a result of technological development that we could not have imagined in previous centuries. Today's aural spaces whether it be architecturally, acoustically or technologically have not only shifted the way in which sound travels, but also the way in which sound is received and understood by the listener. Through the spate of modern scientific developments and engineering complexity, contemporary technology has increased the number of acoustic settings available to both composers and listeners; in physical, technical and virtual environments. Sound reproduction technologies and advancements in acoustic architecture have allowed signals of sound to be limitlessly malleable, to be freely replicated, disfigured and fused across any combination of stereophonic and three-dimensional acoustic spaces. Sound is not only spatialized physically, but also virtually through computer-based processes. Looking even further, algorithm has rendered sound flexible, as a fluid sonic substance that is able to be altered across space at the hands of electroacoustic composers. The incline in mathematically-based acoustic spaces has catered to new ways of listening. As stated by Chagas (2014), "digital audio applications are based on notions first explored in the field of computer music, including sound spatialization, which becomes increasingly important in many contexts of technologically mediated sound as a simulation of virtual acoustic space" (p. 229). Digital sound reproduction technologies have revolutionized our association with sound (Biddle 2011), expanding the potential to further explore possible relationships between sounds and listeners in space.

Results

Although three-dimensional sound has become increasingly practical and practicable (see Hamasaki 2015, Lyon 2015, p. 850), Martin & King (2015) argue that the successful production of three-dimensional sound is the "newest hurdle" in the field of professional audio (p. 1). It can be seen from the studies of Otondo (2008) that the quality of technology being released for spatializing audio is drastically improving, although further insight emphasizes that composers are somewhat uncomfortable to approach the unknown and make bold moves toward new technology. Barrett's research similarly argues that composers are failing to keep up with available resources, following on from research demonstrating that composers have tendency to keep to their comfort zones when it comes to adopting new technologies (Barrett cited in Otondo, 2008, p. 80). At the time of publication in 2011, Peters, Marentakis, McAdams's (2011, p. 14) study discovered that of roughly 50% of composers had never used any configuration of loudspeaker higher than that of the 5.1 surround sound system.

Similarly, my own quantitative data gathered responses from a large group of composers who fall under the umbrella term of 'electroacoustic' or 'computer-based' composers, each of whom were questioned on their practicable skill in relation to spatial sound technologies and in general, computer-based music technologies. Results demonstrated that 45% of composers interviewed had used a configuration of loudspeaker higher than that of 5.1 surround sound when composing music, though 15% indicated first-hand use of anything higher than 7.1 systems. Furthermore, when given examples of the Hamasaki 22.2 system and 4DSOUND's multichannel interfaces and asked if they would be competent in maneuvering around such systems just 10% of composers said they would be assume competence to use such large sound systems with minimal assistance. Whilst the remaining 90% electroacoustic musicians were not competent, there was an overall consensus that such knowledge and ability to command these sizable loudspeaker systems would be beneficial to their practice as composers, especially moving forward into an age where technology is seemingly inundating all facets of audio-visual stimulation.

Lyon argues that commercial Digital Audio Workstations are limiting progression in normalizing multichannel formats larger than 7.1 (Lyon, 2014, p. 851). This flaw has become a common issue highlighted in modern research (see Carpentier, Barrett, Gottfried & Noisternig, 2016, p. 32) with research arguing that most current Digital Audio Workstations do not implement enough output channels for successful sound spatialization, highlighting that composers often face technical and practical challenges when it comes to working with multichannel sound systems, resulting in composers "under-utilizing" available sound spatialization technologies (Peters, Marinakis and McAdams, 2011, p. 25). Though many computer programming languages such as MatLab and MaxMSP are slowly bridging these gaps on commercial levels, Peters, Marentakis and McAdams argue that a normative emphasis of spatial sound in conventional recording environments could prove useful in shallowing the learning curve for composers to adopt such new technologies (Peters, Marinakis and McAdams, 2011, p. 25). Additional limitations arise as most mixing practices for three-dimensional sound utilize two-dimensional panning utilities (Martin & King 2015, p.1). Martin & King (2015, p. 7) also state that the use of three-dimensional sound in aural environments is only in its early stages, with future work definitive to the potential of developing three-dimensional sound systems into even more immersive experiences. Composers need to explore space to its full potential to build exposure of the listening world, to normalize the exploitation of space in sound. Similarly, Brümmer argues that more collaboration between artists in surround sound environments can generate further development of space-based compositions, therefore marking them more accessible to the listening world (Brümmer, 2017). Whilst many socio-economic factors play part in the availability of larger surround sound playback configurations it becomes clear that to break down the practical barriers between composers and larger surround sound systems, commercial digital audio workstations need to accommodate larger output configurations to ease new composers into learning to utilize more complex systems.

Whilst socioeconomic factors play part in hindering the normality of often costly surround sound configurations and interfaces, institutes and research centres around the world are helping bridge the divide between composer and high density loudspeaker systems. The University of Sydney's School of Architecture is home to a range of spatial audio and acoustic environments. Similarly the Spatial Sound Institute, based in the Netherlands and Budapest offer an omnidirectional sound environment with their revolutionary 4DSOUND system, treating space as an instrument with as much a role as previously dominating harmonic constructs in sound. Although most electroacoustic composers are able to work well within their own limits, boundaries and processes, when placed in front of an external computer-based setup 65% of composers expressed difficulty in adapting to a new compositional environment. Upon prompting, it was revealed that 72.5% of interviewed, computer-based composers were only competent in using one Digital Audio Workstation, even though there are multiple workstation standards that monopolize the industry today. Only 22.5% of composers expressed competence in working amongst two or more Digital Audio Workstations in their daily practice. Whilst most commercial DAWs do not hold the capacity to work amongst high density loudspeaker systems they do bridge the way between third-party plugins and software programs that do accommodate such capabilities. The Sydney Spatial Lab operates on both ProTools and Pyramix, whilst the Spatial Sound Institute's 4DSOUND system operates on devices run within Ableton's Live workstation. With such low numbers of electroacoustic composers being able to navigate more than one Digital Audio Workstation, notions of adaptability can be brought into question when it comes to the learning curves of operating larger, spatial sound systems.

Similarly, a large pool of individuals who classify as 'audio engineers' were asked similar research-based questions to the aforementioned selection of electroacoustic composers. Whilst composers showed low figures in a knowledge of larger spatialization systems and techniques, 96% of audio engineers displayed competency using 7.1 surround sound systems, whilst 76% displayed competency in using loudspeaker arrangements larger than 16.1 surround sound systems. 100% of audio engineers displayed advanced competency in using ProTools, the desired industry standard in music production and audio engineering, whilst 68% expressed competence in working in additional digital audio workstations. When asked a standard range of intermediate questions regarding music theory, many engineers expressed a lack of knowledge regarding musical terminology and compositional techniques regarding structure, musical progressions and harmony, whilst all engineers showed competency in standard time signatures.

Comparing the results from the research-based questions asked to both electroacoustic composers and to audio engineers it becomes apparent that, as a whole, electroacoustic composers lack the technological proficiency in computer-based sound spatialization whilst audio engineers show a much higher proficiency in the area. Similarly, the audio engineers questioned as a whole lacked musical knowledge whilst electroacoustic composers showed a strong proficiency in the area. From these results it becomes apparent that adaptability in creatives methods from both electroacoustic composers and audio engineers could enhance greater possibilities in composition and spatialization. As the future of sound spatialization moves further into virtually processed territories it becomes evident that electroacoustic composers need to learn to be both technologically savvy and adaptable to multiple compositional interfaces and layouts, otherwise they run the risk of falling victim to even steeper learning curves in the near future.

Discussion and Conclusions

In the overall representation of musical history, computer-based technologies in musical creativity are still relatively new. They forge new paths for composers to take, and new musical opportunities in which we as humans have never encountered before. As described by Chagas (2014, p. 217), the realisation of such modern, boundary-pushing digital technologies offer "an opportunity to look directly into the inner world of sound phenomenon" and a glimpse into the future of electroacoustic music composition, but the research presented in this paper combined with that of previous trends in history begs to question if composers are ready for such changes. History illustrates the deliberate use of space in the performance or presentation of sound in listening environments as a transformation of previously conventional boundaries, therefore giving room for greater complexity in music (Harley, 1997, p. 74). Though the comprehension and application of space in music is developing in many ways there is still a great deal of research to be done in exploring spatialization and its parallels to music composition (Normandeau, 2009, p. 284).

So where to next? Forward thinking individuals such as Barrett suggest that further exploration into techniques regarding tangible parameter mapping of individual spatial streams offers potential to re-imagine new ways of interacting with sound in space (Barrett, 2016, p. 38), whilst Garavaglia questions the future of spatiotemporality through the implementation of new methods in Granular Spatilializaion (GS) as a method of successfully scattering sound through high-density loudspeaker arrays (Alejandro Garavaglia, 2016, p. 79). Carpentier et al. question the notions of hyperreality and how wave-field synthesis in space can create surreal musical imageries that influence our perception of sound (2016, p. 21), whilst Cabrera, Kuchera-Morin & Roads are currently developing the 'AlloSphere' at the Centre for Research in Electronic Art Technology (CREATE), working towards an 82.1 loudspeaker system to explore audiovisual immersion (Cabrera, Kuchera-Morin & Roads, 2016).

It is evident that approaching the use of space in music is a complex issue. Without doubt, one of the most dynamic factors of change in the spatialization of sound and music is the ubiquitous state of ever-changing modern technology, as digital audio technologies are precipitously developing on a daily basis (Chagas, 2014, p. 229). The research presented above confirms that the technological revolution has stimulated colossal expansion regarding spatialization technologies in sound, with the exploration of music in space remaining a powerful research area for composers, engineers and audiophiles alike as experimental research groups around the world are helping propel forward thinking ideas into reality. It becomes clear that three-dimensional spatialization allows for greater intricacy in composition and that a combination of audio manipulating technologies, unique listening environments and forward thinking ideologies are key to the future of spatial music. It can be proposed that continual exploration into the use of computer programming languages and high density loudspeaker arrays to develop musical ideas will be what propel our understanding of space in music forward, whilst it is up to composers themselves to explore spatial environments to their full potential, in effect normalizing the employment of space in sound and consequently making it more accessible to the listening world.

Bibliographical References

Alejandro Garavaglia, J. (2016). Creating Multiple Spatial Settings with "Granular Spatialisation" in the High-Density Loudspeaker Array of the Cube Concert Hall. *Computer Music Journal, 40*(4), 79-90.

Barrett, N. (2016). A Musical Journey towards Permanent High-Density Loudspeaker Arrays. *Computer Music Journal, 40*(4), 35-46.

Bates, E., Boland F. (2016). *Spatial Music, Virtual Reality, and 360 Media.* Paper presented at the 2016 AES International Conference on Audio for Virtual and Augmented Reality, Los Angeles.

Begault, D. B. (1999). *Auditory and non-auditory factors that potentially influence virtual acoustic imagery.* Paper presented at the 1999 AES International Conference on Spatial Sound Reproduction, Rovaniemi, Finland.

Belgiojoso, R., & ebrary, I. (2014). *Constructing urban space with sounds and music.* Burlington, Vermont;Surrey, England;: Ashgate Publishing Company.

Biddle, I (2011). Listening, Consciousness and the Charm of the Universal. In D. Clarke and E. Clarke. *Music and Consciousness: Philosophical, Psychological, and Cultural Perspectives.* Oxford: Oxford University Press.

Blauert, J. (1997). Spatial hearing: the psychophysics of human sound localization (Rev. ed.). Cambridge, Mass: MIT Press.

Blesser, B., & Salter, L.R. (2007). *Spaces speak, are you listening?: experiencing aural architecture.* Cambridge, Mass: MIT Press.

Brümmer, L. (2017). Composition and Perception in Spatial Audio. *Computer Music Journal,* vol. 41, no. 1, pp. 46-60.

Cabrera, A, Kuchera-Morin, J & Roads, C. (2016). 'The Evolution of Spatial Audio in the AlloSphere', *Computer Music Journal,* vol. 40, no. 4, pp. 47-61.

Carpentier, T., Barrett, N., Gottfried, R., & Noisternig, M. (2016). Holophonic Sound in IRCAM's Concert Hall: Technological and Aesthetic Practices. *Computer Music Journal, 40*(4), 14-34. doi:10.1162/COMJ_a_00383

Chagas, P. (2014). Audiovisual and Multimedia Composition: The Relationship between Medium and Form. In P. C. Chagas (Ed.), *Unsayable Music* (pp. 203-250): Leuven University Press.

Dimartino, D. (2016). Music in the 20th Century, London: Routledge.

Hamasaki, K., Van Baelen, W. (2015). Natural Sound Recording of an Orchestra with Three-Dimensional Sound, Paper presented at the 138th Audio Engineering Society Convention, Warsaw.

Hamasaki, K., Hiyama, K., Okumura, R. (2005). The 22.2 Multichannel Sound System and its Application, Paper presented at the 118th Audio Engineering Society Convention, Barcelona.

Harley, J. (1996). Iannis Xenakis: La Légende d'Eer and Aïs, Gendy3, Taurhiphanie, Thalleïn. *Computer Music Journal, 20*(2), 124.

Harley, M. (1997). An American in Space: Henry Brant's "Spatial Music". *American Music, 15*(1), 70-92.

Jot, J., Fejzo, Z. (2011). *Beyond Surround Sound: Creation, Coding and Reproduction of 3-D Audio Soundtracks*. Paper presented at the 131st Convention of the Audio Engineering Society, New York, USA.

Kanach, S. (2003). The Writings of Iannis Xenakis (Starting with "Formalized Music"). *Perspectives of New Music, 41*(1), 154-166.

Kern, S. (1983). *The culture of time and space 1880-1918*. Cambridge, Mass: Harvard University Press.

LaBelle, B. (2006). *Background noise: perspectives on sound art*. New York: Continuum International.

Landy, L. (2007). *Understanding the art of sound organisation*. Cambridge, MA: MIT Press.

Lyon, E. (2014, 14 - 20 September 2014). *The Future of Spatial Computer Music*. Paper presented at the ICMC | SMC | 2014, Athens, Greece.

Lyon, E. (2016). *Music Composition for HDLA's (High Density Loudspeaker Arrays)* Retrieved from https://www.youtube.com/watch?v=9xujQrLOogk

Normandeau, R. (2009). Timbre Spatialisation: The medium is the space. *Organised Sound, 14*(3), 277-285. doi:10.1017/S1355771809990094

Otondo, F. (2008). Contemporary trends in the use of space in electroacoustic music. *Organised Sound, 13*(1), 77-81. doi:10.1017/S1355771808000095

Pannese, A. (2012). A gray matter of taste: Sound perception, music cognition, and Baumgarten's aesthetics. Studies in History and Philosophy of Science Part C: Studies in History and Philosophy of Biological and Biomedical Sciences, 43(3), 594-601.

Peters, N., Marentakis, G., & McAdams, S. (2011). Current Technologies and Compositional Practices for Spatialization: A Qualitative and Quantitative Analysis. *Computer Music Journal, 35*(1), 10-27. doi:10.1162/COMJ_a_00037

Rumsey, F. (2001). *Spatial audio*. Oxford: Focal Press.

Sterne, J. (2003). The audible past: cultural origins of sound reproduction. Durham: Duke University Press.

Stockhausen, K. (1964), *Carre*, London: Universal Edition.

Treib, M. (1996). Space calculated in seconds: The Philips Pavilion, Le Corbusier, Edgard Varese. Princeton, N.J: Princeton University Press.

Trochimczyk, M. (2001). From Circles to Nets: On the Signification of Spatial Sound Imagery in New Music. *Computer Music Journal, 25*(4), 39-56. doi:10.1162/01489260152815288

CAPÍTULO VII

MUSIC INFORMATION RETRIEVAL: AN INTRODUCTION

Anna Terzaroli

Conservatorio Santa Cecilia of Rome
Dept. of Composition and Conducting, Italy

Abstract

Thanks to the application of technology in music a new kind of musical theory and practice has been possible.

Music Information Retrieval (MIR) is the highly-interdisciplinary science of retrieving information from music. Audio features extraction focuses on the analysis of the sounds, so their audio features are extracted. These audio features become tags of the sound from which they originate. In order to clarify what is meant by the terms "audio features", we can mention some of these: duration of the sound, sound power, onset detection (related to the attack of sound) and others. The techniques of extraction of these features make use of an initial operation which is the same for most of audio features: the sound signal is subjected to a FFT (Fast Fourier Transform).

Audio features extraction is able to allow a classification of any type of sound. MIR is an example of the applied potential of digital to music.

Keywords

Music, Technology, Digital, Computer Music, Music Information Retrieval, Audio features.

Introduction

The research field of MIR is a relatively young one, having its origin less than two decades ago. However since then MIR has experienced a constant upward trend as a research field. The most important association that deals with the MIR is ISMIR. The International Society for Music Information Retrieval (ISMIR) is a non-profit organisation which, among other things, oversees the organisation of the ISMIR Conference. The ISMIR Conference is held annually and is the world's leading research forum on processing, searching, organising and accessing music-related data. ISMIR was incorporated in Canada in 2008.

In the year 1999 three fundamental events occurred for the history of Music Information Retrieval.

The first event concerns OMRAS (Online Music Recognition and Searching), a three-year project obtained research funding by the International Digital Libraries programs jointly administered by the National Science Foundation (NSF) Digital Libraries Initiative in the US and the Joint Information Systems Committee (JISC) in the UK.

The first International Conference on Music Information Retrieval (ISMIR) was largely organized by OMRAS staff.

A very diverse group of OMRAS researchers were able to combine their various insights and talents in a complex project drawing on several distinct academic disciplines: Tim Crawford, from Centre for Computational Creativity (City University, London, UK) as a panel moderator, UK team leader and general OMRAS coordinator (probabilistic harmonic description); Donald Byrd, from School of Music (Indiana University, US) as a team leader, composer and developer of Nightingale Search module (score notation searching); Matthew Dovey, from Oxford University (UK), as a designer of OMRAS (system architecture and integration strategy); Mark Sandler, from Queen Mary College (London, UK) as an electronic engineer (audio team leader); Jeremy Pickens, from Center for Intelligent Information Retrieval (University of Massachusetts, US) as a Ph.D. student (IR aspects and Java programming, language modeling, evaluation); Juan-Pablo Bello and Giuliano Monti, from Queen Mary College (London, UK) as Electroinc Engineering Ph.D. students (monophonic and polyphonic audio music transcription); Jose Montalvo, from School of Music (Indiana University, US) as a composer and research assistant (system integration and Java programming); Ichiro Fujinaga, from McGill University as an external panelist (Optical Music Recognition expert and collaborator on the Levy Sheet Music Collection OMR/MIR project at Johns Hopkins University).

The second event is the following. The Fourth ACM Digital Library Conference was held in Berkeley (CA, US) and followed immediately by the ACM SIGIR'99 conference, held at the same place. Some participants like J. Stephen Downie, David Huron and Craig Nevill-Manning had organized a small workshop on music IR at SIGIR'99, and Downie was already thinking of a larger-scale meeting as a follow-on event to that.

Byrd also attended the Fourth ACM Digital Library Conference, where he met Downie: they decided to join forces to plan a larger-scale event instead of a workshop in the normal sense. Subsequently a proposal to fund the "International Symposium on Music Information Retrieval" (ISMIR) as a supplementary grant to OMRAS was submitted by the University of Massachusetts to the National Science Foundation.

The third event is about the approval of the University of Massachusetts proposal from NSF: the first International Symposium on Music Information Retrieval (whence the acronym ISMIR) took place in Plymouth, Massachusetts in October 2000, Byrd was the general chair, Downie the program chair and with the heavy involvment of Crawford in its organization. Since then many other ISMIR conferences have been held over the years hosted at various universities and research centers. ISMIR conferences bring together researchers of fields as diverse as Music Theory, Computer Science, Electrical Engineering, Mathematics, Library Science, Psychology, Sociology and Law. Moreover, in the world there are many other Conferences, Journals, Publications, Symposia etc. dealing with MIR and MIR is also present as the subject of several Computer Music conferences.

The centers in which MIR can be studied and practised are numerous and widespread all over the world, for example Music Technology Group at Universitat Pompeu Fabra in Barcelona (ES), Center for Computer Research in Music and Acoustics (CCRMA) at Stanford University Department of Music (US), Centre for Digital Music (C4DM) at Queen Mary University of London (UK), MIR Group at the University of Coimbra (PT), The Centre of Interdisciplinary Research in Music Media and Technology (CIRMMT) at McGill (CA), Music and Audio Research Laboratory at New York University (US), Music Technology at Georgia Tech (US) and others.

General Purposes

Music Information Retrieval is an emerging research area devoted to accomplish users music information needs. MIR encompasses many different approaches aimed at music management, easy access, and enjoyment.

The main idea underlying content-based approaches is that a document can be described by a set of features that are directly computed from its content.

Usually content-based access to multimedia data requires specific methodologies that have to be tailored to each particular medium. Yet, the core information retrieval (IR) techniques, which are based on statistics and probability theory, may be more generally employed outside the textual case, because the underlying models are likely to describe fundamental characteristics being shared by different media, languages, and application domains. For this reason, the research results achieved in the area of IR, in particular in the case of text documents, are a continuous reference for MIR approaches. Already in 1996 McLane stated that a challenging research topic would have been the application of some standard principles of text IR to music representation. The basic assumption behind content-based approaches is that metadata are either not suitable, or unreliable, or missing. Music metadata may not be suitable because they are either too generic to discriminate different musical works, there are hundreds of slow ballads sung by a female voice, or too specific requiring a precise definition of the information need, name of the singer, name of the album, and date of the first release. It is interesting to note that both CD and the first MP3 audio standards, which gave rise to the two digital revolutions of music enjoyment, do not take into account the possibility of carrying also structured metadata information. The possibility to include unstructured textual information in MP3 has been introduced in a later version thanks to an external contribution to the standard. Yet, fields are not mandatory, and it is up to the person who creates the MP3 to spend time adding this information.

Despite these problems with metadata, a number of systems that allow users to access and retrieve music based on textual descriptors have been developed, and are available on the Web. Most of the systems are Digital Libraries devoted to the diffusion of Western classical music, such as Cantate, Sonate and others.

In addition to factual metadata (such as name of artist, name of album, year of publication, duration, track title) there are also cultural metadata like genre, style, emotion. A number of problems are associated with factual and cultural information as ensuring the generality of the associated text fields, for example, consistencies of spelling, capitalization, international characters, special characters and order of proper names, which is essential to useful functioning; or being time aware, reflecting changes both in the artist's style and in the public's perception of the artist. Commercial systems currently rely heavily on metadata but are not able to easily provide their users with search capabilities for finding music they do not already know about, or do not know how to search for. This gap is one of the opportunities for content-based methods, which hold the promise of being able to complement metadata-based methods and give users access to new music via processes of self-directed discovery and musical search that scales to the totality of available music tracks.

The field of MIR comprises many tasks, subfields and applications, some of these being: audio fingerprinting, music transcription, audio alignment and audio-to-score alignment, query by humming and query by tapping, cover song identification, music recommendation.

Audio fingerprinting concerns the use of computers to analyse small music recordings and to allow to know the name of that music. Audio fingerprinting algorithms are able to identify musical content and to search in a reference database for recordings in which the same musical features are contained, thus being possible to find the matching recordings.

Music transcription focuses on the possibility to convert an audio musical content into music notation (some form as MIDI, staff notation and others).

The audio-to-score alignment concerns the relation between the many different ways in which music can be represented. These many different ways are for example symbolic representations and audio recordings. So for each of these representations, there exist different versions that correspond to the same musical work. The general goal is to automatically link the various data streams, thus interrelating the multiple information sets related to a given musical work. More precisely audio alignment and audio-to-score alignment are procedures which, for a given position in one representation of a piece of music, determine the corresponding position within another representation.

Queries by humming and by tapping retrieve music from a melodic or rhytmic input (given in audio or symbolic representation). The input is described in terms of features and it is compared to the documents in a music collection.

Cover song identification algorithm retrieves different versions of the same song, which may vary in many aspects such as key, harmony or instrumentation.

Music recommendation systems typically propose a list of music pieces based on modeling the users musical preferences. The main requirements of a recommender system in general and for music in particular are: accuracy (recommendations should match one's musical preferences), diversity (as opposed to similarity, as users tend to be more satisfied with recommendations when they show a certain level of diversity), transparency (users trust systems when they understand why it recommends a music piece) and serendipity (a measure of "how surprising a recommendation is").

Methods

The features extraction is the process by which some characteristics of a signal are extracted to be used in order to obtain some kind of information about the starting signal. Therefore the characteristics and the derived information can be compared with other characteristics and information coming from other signals, to establish relationships of equality, diversity, etc. based on the parameter taken as a point of reference.

Thus, we extract the characteristics of the audio signal that are most relevant to the problem we are trying to solve. For example, if we want to classify instruments by timbre, we want features that distinguish sounds by their timbre and not by their pitch. If we want to perform pitch detection, we want features that distinguish sounds by their pitch and not by their timbre.

The Fast Fourier Transform (FFT) is one of the most fundamental operations in signal processing. It transforms our time-domain signal into the frequency domain. Whereas the time domain expresses our signal as a sequence of samples, the frequency domain expresses our signal as a superposition of sinusoids of varying magnitudes, frequencies, and phase offsets. But musical signals are highly non-stationary and their statistics change over time, so it would be rather meaningless to compute a single Fourier transform over an entire musical fragment. The short-time Fourier transform (STFT) is obtained by computing the Fourier transform for successive frames in a signal.

At this point we can proceed with the extraction of the audio features of our interest, for example the Spectral Centroid. This one allows to calculate the center of gravity of a spectrum, which is the sum of the product of each component frequency multiplied by its intensity, until the last frequency component present in the spectrum. The sum thus obtained is divided by the sum of all intensities in the spectrum. The result is still a frequency. The Spectral Centroid feature is useful when we want to compare two sounds based on their brightness, or if we repeat the calculation several times during a musical note's existence we can track the evolution of the brightness of that musical note and then we could use this information for further comparisons, classifications and applications.

In addition to Spectral Centroid, other important audio features are: Zero Crossing Rate (it is a measure of the number of times the signal value cross the zero axis. Periodic sounds tend to have a small value of it, while noisy sounds tend to have a high value of it. It is computed at each time frame on the signal), Inharmonicity (it represents the divergence of the signal spectral components from a purely harmonic signal. It is computed as an energy weighted divergence of the spectral components from the multiple of the fundamental frequency; the obtained coefficient ranges from o –

purely harmonic signal– to 1 –inharmonic signal-), Duration (the effective duration is a measure of the time the signal is perceptually meaningful. It allows distinguishing percussive sounds from sustained sounds but depends on the recording length. It is approximated by the time the energy envelop is a given threshold), Dissonance (in Essentia library it is defined as an algorithm that computes the sensory dissonance of an audio signal given its spectral peaks. Sensory dissonance -to be distinguished from musical or theoretical dissonance- measures perceptual roughness of the sound and is based on the roughness of its spectral peaks. Given the spectral peaks, the algorithm estimates total dissonance by summing up the normalized dissonance values for each pair of peaks. These values are computed using dissonance curves, which define dissonace between two spectral peaks according to their frequency and amplitude relations. The dissonance curves are based on perceptual experiments conducted by R. Plomp and W. J. M. Levelt), Entropy (in Essentia library it is defined as an algorithm that computes the Shannon entropy of an array. Entropy can be used to quantify the peakiness of a distribution. This has been used for voiced/unvoiced decision in automatic speech recognition), Onset Detection (musical events are delineated by onsets, a note has an attack followed by sustain and decay portions. Notes that occur simultaneously in music are often actually scattered in time and the percept is integrated by the ear-brain system. Onset detection is concerned with marking just the beginning of notes. There are several approaches to onset detection, employing spectral differences in the magnitude spectrum of adjacent time points, or phase differences in adjacent time points, or some combination of the two -complex number onset detection-), Chroma (it represents the energy due to each pitch class in twelfth-octave bands called a pitch-class profile. This feature integrates the energy in all octaves of one pitch class into a single band. There are 12 equally spaced pitch classes in Western tonal music, independent of pitch height corresponsing to notes from A to G#, so there are typically 12 bands in a chromagram representation. Sometimes, for finer resolution of pitch information, the octave is divided into an integer multiple of 12 such as 24, 36, or 48 bands. Tuning systems that use equally spaced pitch classes are called equal temperament. Recently, some studies have explored extracting features for tuning systems that do not use equally spaced pitch classes: a necessary extension for application to non-Western music), Pitch Salience (it computes the pitch salience of a spectrum. The pitch salience is given by the ratio of the highest auto correlation value of the spectrum to the non-shifted auto correlation value. Pitch salience was designed as quick measure of tone sensation. Unpitched sounds -non-musical sound effects- and pure tones have an average pitch salience value close to 0 whereas sounds containing several harmonics in the spectrum tend to have a higher value).

The features above mentioned are low-level audio features, these in themselves cannot tell us much about music, they encode information at too fine a temporal scale to represent perceptually salient information. These low-level audio features and their aggregate representations are used as the first stage in bottom-up processing strategies. The task is often to obtain a high-level representation of music as a next step in the processing of music content.

The most important music features (the difference between audio features and musical features is related to the difference between audio and music) are: Tempo or Beat or Metro Tracking (beat extraction follows from onset detection and it is often used to align the other low-level features. Alignment of features provides a measurement for every beat interval, rather than at the frame level, so the low-level features are segmented by musically salient content. This has recently proven to be exceptionally useful for mid-specificity MIR tasks such as cover songs and versions identification), Melody Extraction (melody is an important feature because the melody forms the core of Western music and is a strong indicator for the identity of a musical piece. Melody Extraction algorithm represents melody as a continuous temporal-trajectory representation of fundamental frequency perceived as pitch or a series of musical notes), Measure or Movements or Sections Detection, Danceability, Motive or Phrase Patterns, Rythmic Patterns, Tonic, Key, Mode.

There are many tools to extract the audio and the music features from a signal, some of these are: Essentia (it is an open-source C++ library for audio analysis and audio-based music information retrieval released under the Affero GPLv3 license -also available under proprietary license upon request- which has been developed by the Music Technology Group in Universitat Pompeu Fabra. Essentia was awarded with the Open-Source Competition of ACM Multimedia in 2013), jAudio (it is a Java based stand alone application with a Graphic User Interface and a Command Line Interface, which can batch process and outputs XML and ARFF formats), jMIR (it is an open-source software suite implemented in Java for use in music classification research. It can be used to study music in both audio and symbolic formats, as well as mine cultural information from the web and manage music collections. jMIR includes software for extracting features, applying machine learning algorithms, mining metadata and analyzing metadata), libXtract (to extract low level features in real time. It is written in C, Max-MSP, Pure Data, Super Collider and Vamp), MARSYAS (it is a full real time feature extraction tool usable via a command line interface or a graphic user interface. It is written in C++ and Vamp and proposed a SVM machine learning algorithm), MIR Toolbox (to extract low and high-level audio features. It is written in Matlab and includes preprocessing, classification, similarity measures and clustering functionality).

Results

The amount of digital music available is constantly increasing, stimulated by a growing interest of users and the development of new technologies for the enjoyment of music.

There are a number of reasons that can explain this tendency, first of all, the characteristics of the musical language itself. Music is an art form that can be shared by people with different cultures because it crosses the barriers of national languages and cultural contexts. For example, Western classical music has passionate followers in Japan, and many people in Europe are passionate about Indian classical music: everyone can enjoy music without the need for a translation, which is required to access foreign text work. Another reason is that technology for recording, digitizing and playing music allows users almost comparable access to listening to a live performance, at least in terms of audio quality, and the signal-to-noise ratio is better for digital formats compared to many analog formats. This is not the case with other forms of art, such as painting or sculpture, for which the digital format is only a rough representation of the art work. The access to digitized paintings can be useful for studying the works of a particular artist but can not replace direct interaction with the real works. Furthermore, music is an art form that can be both cultivated and popular, and sometimes it is impossible to draw a line between the two, as in jazz or most traditional music.

Perhaps the growing interest in digital music is motivated by its portability and the ability to access the music while doing another activity. Perhaps users are not looking for a cultural experience or the enjoyment of works of art, but a soundtrack suitable for the many hours spent commuting, traveling, waiting or even working and studying. Last but not least, the music business is pushing towards the continuous production of new musical works, especially in genres such as pop and rock. The continuing decline in the average age of people who regularly buy and consume music has been accompanied by a growing simplification of the mainstream music genres, which requires the continuous production of new music. The number of items daily sold by web-based music retailers or downloaded from services, without mentioning the illegal sharing of music files via peer-to-peer networks, shows how music is commercially and culturally important.

The increasing availability of music in digital format needs to be matched by the development of tools for music accessing, filtering, classification, and retrieval.

The above mentioned MIR applications in general have been integrated into commercially available systems, such as Shazam, Pandora, Soundhoud, Last.fm and others.

Internet music systems use MIR tasks and applications. SoundHound matches users hummed queries against a proprietary database of hummed songs. Last.fm, Pandora and Google Play Music use the music recommendation. The Shazam system can identify a particular recording from a sample taken on a mobile phone in a dance club or crowded bar and deliver the artist, album, and track title along with nearby locations to purchase the recording or a link for direct online purchasing and downloading. Users with a melody but no other information can turn to the online music services which allow one to sing a query and attempt to identify the work.

Furthermore, still the same MIR applications allow the well known procedures for musicians such as score following (a musician is performing a piece according to a given musical score), automatic accompaniment (having a solo part played by a musician, the task of the computer is to accompany the musician according to a given score by adjusting the tempo and other parameters in real time) and others.

The automatic music playlist generation (which is sometimes informally called "Automatic DJing") can be regarded as highly related to music recommendation. Its aim is to create an ordered list of results, such as music tracks or artists, to provide meaningful playlists enjoyable by the listener.

Discussions and Conclusions

MIR techniques are also exploited in other contexts, beyond the standard retrieval scenarios. For example, the computational music theory field, for which music content description techniques offer the possibility to perform comparative studies using large datasets and to formalize expert knowledge. In addition, music creation applications benefit from music retrieval techniques, for instance via "audio mosaicing", where a target music track is analyzed, its audio descriptors extracted for small fragments, and these fragments substituted with similar but novel fragments from a large music dataset.

Many new research directions are emerging: research on web, social media and tag based MIR; the practice of MIR in a signal processing perspective; the music information extraction from the Web, covering the automatic extraction of song lyrics, members and instrumentation of bands, country of origin, images of album cover artwork. Furthermore, MIR studies about research on music of other non-Western cultural areas and MIR applications to analyse past musical works, in order to achieve goals never done before, could be developed.

References

Birmingham W.P., Dannenberg R.B., Wakefield G.H., Bartsch M., Bykowski D., Mazzoni D., Meek C., Mellody M. and Rand W. (2001). MUSART: music retrieval via aural queries. *Proceedings of the International Conference on Music Information Retrieval.*

Casey M., Veltkamp R., Goto M., Rhodes C. and Slaney M. (2008). Content-Based Music Information Retrieval: Current Directions and Future Challenges. *Proceedings of the IEEE 96 (4).*

Dannenberg R., Birmingham W., Pardo B., Hu N., Meek C. and Tzanetakis G. (2007). A comparative evaluation of search techniques for query-by-humming using the musart testbed. *Journal of the American Society for Information Science and Technology 58 (5).*

Dannenberg R.B. and Mukaino H. (1988). New techniques for enhanced quality of computer accompaniment. *Proceedings of the International Computer Music Conference.*

Dowling W.J. (1978). Scale and contour: two components of a theory of memory for melodies. *Psychological Review 85 (4).*

Downie J.S. (2003). Music information retrieval. *Annual Review of Information Science and Technology 37.*

Downie J.S. and Nelson M. (2000). Evaluation of a simple and effective music information retrieval method. *Proceedings of the ACM International Conference on Research and Development in Information Retrieval (SIGIR).*

Downie J.S., Futrelle J. and Tcheng D. (2004). The International Music Information Retrieval Systems Evaluation Laboratory: governance, access and security. *Proceedings of the International Conference on Music Information Retrieval.*

Downie J.S., West K., Ehmann A. and Vincent E. (2005). The 2005 music information retrieval evaluation exchange (MIREX 2005): preliminary overview. *Proceedings of the International Conference on Music Information Retrieval.*

Dunn J. and Mayer C. (1999). VARIATIONS: a digital music library system at Indi- ana University. *Proceedings of ACM Conference on Digital Libraries.*

Essentia. http://essentia.upf.edu/documentation/. Last viewed 2018, Jan.

Essid S., Richard G. and David B. (2003). Musical instrument recognition based on class pairwise feature selection. *Proceedings of the International Conference on Music Information Retrieval.*

Ferrari E. and Haus G. (1999). The musical archive information system at Teatro alla Scala. *Proceedings of the IEEE International Conference on Multimedia Computing and Systems II.*

Foote J.T. (1997). A similarity measure for automatic audio classification. *Pro- ceedings of AAAI Spring Symposium on Intelligent Integration and Use of Text, Image, Video, and Audio Corpora.*

Fujishima T. (1999). Realtime chord recognition of musical sound: a system using common lisp Music. *Proceedings of the International Computer Music Conference.*

Funkhouser T., Min P., Kazhdan M., Chen J., Halderman A. and Dobkin D. (2003). A search engine for 3D models. *ACM Transactions on Graphics, 22 (1).*

Ghias A., Logan J., Chamberlin D. and Smith B.C. (1995). Query by humming: musical information retrieval in an audio database. *Proceedings of the ACM Conference on Digital Libraries.*

Gomez E. and Bonada J. (2013). Towards computer-assisted flamenco transcription: An experimental comparison of automatic transcription algorithms as applied to a cappella singing. *Computer Music Journal 37 (2).*

Gomez E. and Herrera P. (2004). Estimating the tonality of polyphonic audio files: cognitive versus machine learning modelling strategies. *Proceedings of the International Conference on Music Information Retrieval.*

Gomez E., Klapuri A. and Meudic B. (2003). Melody description and extraction in the context of music content processing. *Journal of New Music Research 32 (1).*

Google Play Music. https://play.google.com/music/listen/. Last viewed 2018, Jan.

Gracenote. http://www.gracenote.com. Last viewed 2018, Jan.

GUIDO Music Notation. http://www. noteserver.org/. Last viewed 2018, Jan.

Haus G. and Pollastri E. (2000). A multimodal framework for music inputs. *Proceedings of the ACM Multimedia Conference.*

Herrera, P., Serrà J., Laurier C., Gaus E., Gomez E. and Serra X. (2009). The Discipline formerly know as MIR. *Proceedings of International Society for Music Information Retrieval (ISMIR) Conference, special session on The Future of MIR (fMIR).*

http://www.dlib.org/dlib/november02/11inbrief.html. Last viewed 2018, Jan.

ISMIR. http://ismir.net. Last viewed 2018, Jan.

jAudio/jMIR. http://jmir.sourceforge.net/jAudio.html. Last viewed 2018, Jan.

Last.fm. https://www.last.fm/. Last viewed 2018, Jan.

LibXtract. http://libxtract.sourceforge.net. Last viewed 2018, Jan.

MARSYAS. http://marsyas.info. Last viewed 2018, Jan.

McLane A. (1996). Music as information. *Arist, 31 (6).* American Society for Information Science.

Melucci M. and Orio N. (1999). Musical information retrieval using melodic surface. *Proceedings of the ACM Conference on Digital Libraries.*

Melucci M. and Orio N. (2004). Combining melody processing and information retrieval techniques: methodology, evaluation, and system implementation. *Journal of the American Society for Information Science and Technology 55 (12).*

Melucci M., Orio N. and Gambalunga M. (2000). An evaluation study on music perception for musical content-based information Retrieval. *Proceedings of the International Computer Music Conference.*

Moffat D., Ronan D. and Reiss J. D. (2015). An evaluation of audio features extraction toolboxes. *Proceedings of the 18th Int. Conference on Digital Audio Effects (DAFx-15).*

MusicBrainz. https://musicbrainz.org. Last viewed 2018, Jan.

Oramas S., Nieto O., Barbieri F. and Serra X. (2017). Multi-label Music Genre Classification from Audio, Text and Images Using Deep Features. *Proceedings of 18th International Society for Music Information Retrieval Conference (ISMIR 2017).*

Orio N. (2002). Alignment of performances with scores aimed at content-based music access and Retrieval. *Proceedings of European Conference on Digital Libraries.*

Orio N. (2006). **Music Retrieval: A Tutorial and Review.** *Foundations and Trends® in Information Retrieval 1 (1).*

Pandora. https://www.pandora.com/. Last viewed 2018, Jan.

Peeters G. (2004). A large set of audio features for sound description (similarity and classification) in the CUIDADO project. *Cuidado project report*, IRCAM.

Peeters G. (2005). Rhythm classification using spectral rhythm patterns. *Proceedings of the International Conference on Music Information Retrieval.*

Schedl M., Gomez E. and Urbano J. (2014). Music Information Retrieval: Recent Developments and Applications. *Foundations and Trends® in Information Retrieval 8 (2, 3).*

Selfridge-Field E. (1997). *Beyond MIDI: The Handbook of Musical Codes.* MIT Press, Cambridge, MA.

Shazam. http://www.shazam.com/. Last viewed 2018, Jan.

Soundhound. https://www.soundhound.com/. Last viewed 2018, Jan.

Spotify. https://www.spotify.com/. Last viewed 2018, Jan.

Tzanetakis G. and Cook P. (2002). Musical genre classification of audio signals. *IEEE Transactions on Speech and Audio Processing 10 (5).*

Vincent E. and Rodet X. (2003). Instrument identification in solo and ensemble music using independent subspace analysis. *Proceedings of the International Conference on Music Information Retrieval.*

CAPÍTULO VIII

LAS MEDIACIONES CULTURALES Y POLÍTICAS HACIA LA EXPERIENCIA MUSICAL EN LÍNEA: LA CURADURÍA EN LOS SERVICIOS *STREAMING* Y LAS REDES SOCIALES

Dr. Profesor Rodrigo Fonseca e Rodrigues
Universidad FUMEC, Brasil

Dra. Profesora Ana Maria Pereira Cardoso
Universidad FUMEC, Brasil

Resumen

El artículo analiza, desde una perspectiva crítica, los cambios en los hábitos de acceso, consumo y escucha que se ven afectados por las prácticas culturales, en el contexto de las tecnologías digitales de búsqueda y recomendación presentes en los servicios *streaming* de música. Autores como Anderson (2006), Lessig (2008), Meleiro (2009), Martel (2015), Hagen (2015), Barile y Sugiyama (2015) nos auxilian en la tarea de aproximación analítica entre las formas de curaduría ofrecidas por empresas como Spotify, Apple Music y Tidal, confrontándolas con las modalidades de acceso habilitadas por plataformas independientes como ubuweb.com, Soundcloud y Radiooooo.com. Nuestro estudio identifica tres dificultades a ser discutidas por las investigaciones en este área: 1) la permanencia de proyectos de colección y conservación de archivos, a fin de preservar la memoria musical de acceso libre en un escenario de *host* de pago vía proveedores y de control criptográfico del *copyright*; 2) las acciones de instituciones públicas para fomentar la publicación, la promoción de artistas emergentes, además de la experiencia social de descubrimientos musicales bajo la lógica de acceso y curaduría del *streaming*; 3) que los servicios comerciales incorporen, en sus funcionalidades, *performance* de búsqueda y recomendaciones ofrecidas por plataformas exentas y sin fines lucrativos de investigación y circulación musical. Un proceso que aproxime iniciativas públicas, empresariales e interacciones sociales podría tal vez propiciar el alcance de las potencialidades de los dispositivos (tecnológicos, económicos, políticos, jurídicos, mediáticos), conectándose para el beneficio de prácticas que promuevan, en su plenitud, la cultura musical.

Palabras claves

Mediación digital, servicios *music streaming*, sistemas de recomendación, curación, experiencia musical.

Abstract

This article critically analyses the changes in the habits of accessing, consuming and listening that are affected by cultural practices in the context of the digital technologies of search and recommendation present in music streaming services. Scholars including Anderson (2006), Lessig (2008), Meleiro (2009), Martel (2015), Hagen (2015) and Barile and Sugiyama (2015) help give an analytical insight into the forms of curatorship provided by companies such as Spotify, Apple Music and Tidal, comparing them with the access methods enabled by independent platforms such as ubuweb.com, Soundcloud and Radiooooo.com. This study identifies three difficulties to be discussed in regard to research in this area: 1) the permanence of file collection and preservation projects, in order to preserve the musical memory freely accessible in a context of paid hosting via providers and cryptographic copyright control; 2) the actions of public institutions to foment new releases, the promotion of emerging artists, as well as the social experience of musical discoveries under the logic of access and curatorship of streaming; 3) that the functions of the commercial services include search performance and recommendations provided by exempt and non-profit platforms of research and musical circulation. A process that brings together public and corporate initiatives, as well as social interactions, could perhaps help to expand the potentialities of technological, economic, political, legal and media devices, linking up for the benefit of practices that fully promote musical culture.

Keywords

Digital mediation, music streaming services, recommendation systems, curation, musical experience.

Introducción

Este texto escruta algunas potencialidades de los medios digitales on-line en la cultura musical contemporánea. En lo que se refiere a la experiencia con la música, la cultura del disco y la radiofonía crearon simbióticamente, a lo largo del siglo XX, rituales para la escucha y el consumo musical. Alguien en los años 70, por ejemplo, oía cierta canción en la radio y, sintiéndose afectado, iba en busca del álbum del artista. Al llegar a la tienda, además de conversar con los vendedores (generalmente aficionados a la música), el oyente buscaba el disco en el estante y, al hacer esto, mantenía contacto con otros álbumes llevándolos a la cabina con una *pick-up* y un auricular, y explorando pista a pista los discos seleccionados. Estos modelos de consumo actualmente se catalizan a través de aplicaciones como Shazam, que captura por el micrófono del *smartphone* el sonido reproducido, localizando y presentando las informaciones textuales sobre la canción que está siendo ejecutada. Una vez en posesión de los datos sobre la composición, el oyente la busca en el servicio al cual está suscripto y la incluye en su *playlist*. Automáticamente, la aplicación le recomienda otras obras bajo la lógica de los sistemas de curaduría.

Sabemos que en los años siguientes al surgimiento de la arquitectura P2P y de sitios *file-sharing*, los hábitos de frecuentar, acceder, explorar, coleccionar y compartir archivos se desdoblaron en prácticas singulares para la experiencia musical. Ante las compuertas abiertas para bajar archivos de forma libre y gratuita, para unos y, la piratería, para otros, diversas acciones creativas pasaron a influenciarse mutuamente y generar circunstancias genuinas para el contagio de ideas y experimentaciones de diferentes modos de componer, de escuchar y de publicar. Grabadoras, editoras y distribuidoras lucharon por medios jurídicos y por estrategias de marketing para adaptarse a la dinámica del mundo digital y a los hábitos de consumo musical. La industria de la música no para de estudiar, de hecho, las tensiones y posibilidades mercantiles de modelos de negocios.

Hace algunos años, sin embargo, el creciente control criptográfico (*code signature*) del *copyright* y el descenso de intereses por hábitos de *downloading*, almacenamiento personal y permutas de archivos pasaron a coincidir con el surgimiento, a partir de 2008, de las llamadas plataformas *streaming*. Por medio de suscripción, los aplicativos de acceso a catálogos con millones de archivos licenciados y "hosteados" irrumpieron como un negocio promisor en el mercado musical. Las estrategias para vínculos de consumo musical *on-line* se volcaron hacia estos servicios bajo modos ubicuos de escucha. Empresas como Spotify, Tidal, Apple Music, entre más de 500 aplicaciones, ofrecen el acceso a catálogos y *playlists* basadas en sistemas de curaduría algorítmica para recomendaciones consideradas "inteligentes", "personalizadas" e integradas en las redes sociales. Estos servicios abarcan una dinámica específica de distribución que depende de muchas inversiones: costos con *royalties* y proveedores de archivos, con proyectos de diseño de interfaz y usabilidad, con empresas de musicometría, sistemas de metadatos y filtros de recomendación, además de publicidad y marketing para promoción musical.

Con las plataformas *streaming* de acceso por suscripción a archivos "hosteados" en proveedores, se alteró la naturaleza de las mediaciones entre agentes del mercado fonográfico, artistas, mantenedores de acervos, investigadores científicos y público. Toda esta dinámica económica convierte a los servicios de música en *streaming* en plataformas relativamente volátiles, la permanencia en el mercado exige la adhesión de millones de usuarios, comprometiendo modelos de negocio poco agresivos y estableciendo una actitud competitiva que favorece a los servicios en *streaming* más conocidos y consolidados.

Nuestro estudio presenta, por lo tanto, algunas propuestas singulares sobre cambios que afectan a ciertos hábitos de consumo musical por medio de estos servicios y de los sistemas de recomendaciones añadidos a estos. Para que se consideren las recientes modalidades de experiencia vinculadas a las posibilidades de publicación, promoción, acceso musical, es preciso apuntar prácticas económicas, políticas y micropolíticas que involucran las interacciones con estos dispositivos. El artículo sintetiza estudios desarrollados por autores como Lessig (2009), Martel (2016), Hagen (2015), Barile y Sugiyama (2015) que consideran implicaciones económicas, tecnológicas, mediáticas, políticas y culturales ligadas a las plataformas de *streaming*. Algunas iniciativas de políticas públicas de fomento a la publicación, acceso y promoción de trabajos musicales emergentes serán, por fin, retomadas de propuestas defendidas por Meleiro (2009). Asentadas sobre las proposiciones y acciones de las llamadas industrias creativas, las ideas de la autora señalan la necesidad del establecimiento de prácticas conjuntas entre instituciones estatales, empresas, artistas y público que puedan converger para abordar problemas como la preservación de la memoria musical, la aproximación entre los actores en el universo productivo, de circulación, de distribución de los dividendos y de consumo accesible de trabajos musicales.

Una de las cuestiones que este estudio pretende sacar a debate es: ¿por qué medios conciliar en la concepción de las plataformas en *streaming* métodos de curación volcados, tanto en prácticas de preservación de la memoria fonográfica como para la promoción de artistas emergentes, en un escenario en el que el control legal y los altos costos con proveedores condicionan la experiencia de acceso, publicación, conservación y los descubrimientos musicales?

Sistemas de recomendación y curaduría de los servicios de *streaming*

Un desdoblamiento crucial ocurrió con el cambio de los métodos empleados para adquirir música en internet, sea por medios "libres" o "legales", que extrapoló el condicionamiento del contacto entre artistas y público, antes controlado por el marketing de las industrias de contenido, generando una diversidad de alternativas para que se descubrieran músicas de modo desinhibido de las lógicas de control de la industria fonográfica. Y las tecnologías de búsqueda y de recomendaciones (las llamadas "filtros" y "posfiltros") desempeñan la función de dispositivos para encontrar algo en las respectivas áreas de interés, en un ambiente de superabundancia de oferta. Los filtros tamizan un vasto conjunto de elecciones para proponer las más compatibles con las características específicas de búsqueda.

Los oyentes también pasaron, según Anderson (2006), a direccionarse hacia formas de composición menos dominantes en términos mediáticos, dispersándose entre millones de subgéneros camuflados bajo la tradicional vitrina del *mainstream*. En la cultura *on-line* se nota, de hecho, una tendencia migratoria de los artistas "de hits" para los artistas "de nichos", además de que producciones *amateurs* y profesionales tratan de competir en igualdad de condiciones por la atención. Esto sucede porque, en la web, como las composiciones no están sujetas a selecciones previas en función de las necesidades impuestas por los intermediadores tradicionales de distribución –como los editores, ejecutivos de estudios, cazadores de talentos y gerentes de compra de tiendas–, los vínculos entre fans en las redes sociales contribuyen a orientar la búsqueda de músicas desconocidas que, de lo contrario, no habrían sido encontradas.

Obviamente, las iniciativas empresariales del ramo musical sacaron provecho de esta tendencia de búsqueda iniciada por los oyentes *on-line*. iTunes (2001), pionera en el sistema *pay-per-download* (venta de pistas musicales por álbum o unidad) comenzó llegando a acuerdos con las grandes discográficas, comprando los derechos de autor a gran escala por lotes. Los clientes de iTunes pudieron sumergirse en un mercado en funcionamiento en el cual las categorías ya estaban definidas por leyes comerciales inequívocas, y que servían como plataformas para el descubrimiento de músicas de nicho que el servicio ya disponía en gran profusión. Durante ese proceso, iTunes iba reuniendo un mayor contenido de nicho a medida que los "agregadores de derechos" le enviaban cientos de miles de archivos de músicos independientes.

Desde hace algunos años, los servicios de *streaming* compiten entre sí en sus recomendaciones como un atributo clave para la retención del oyente suscriptor. En esta competencia, algunas empresas están trabajando con las discográficas para desarrollar estrategias de *playlisting* que permitan alcanzar a un público aún no adherido y mantener a aquellos que ya utilizan los servicios. Para esto se apoyan en sistemas de recomendación basados en algoritmos que acumulan y cruzan datos sobre las búsquedas realizadas, a fin de componer perfiles de oyentes que direccionen los nuevos conjuntos de composiciones que se ofrecen. Los sistemas algorítmicos coexisten actualmente con el trabajo de periodistas, críticos, *disc-jockeys*, blogueros y usuarios habituales de las redes. El cruce de datos automatizados busca perfeccionar el alcance de la curaduría y opera con análisis textuales y acústicos en miles de subcategorías, como la cronología, géneros y repertorios locales, ubicación del oyente, hora y día de la semana, estaciones del año o supuestos estados de humor relacionados con los contextos habituales de escucha. Aprovechándose de las ventajas propiciadas por el mapeo algorítmico de supuestos sentimientos manifestados en las redes sociales, los servicios prometen perfeccionar su sistema de recomendación para las consecuentes búsquedas musicales.

En esa transición de la lógica de búsqueda de mercado del marketing y de la publicidad para los servicios de recomendación, empresas y estaciones de radio en *streaming* pasaron a contratar o a adquirir servicios especializados en estadísticas basadas en filtros por metadatos, evaluación del oyente, etc. La intención de fomentar las preferencias personales con supuesta precisión pasó a ser el mayor objetivo de las inversiones en el área. Con la implementación de sistemas de recomendación basados en algoritmos, esos flujos de datos podrían desencadenar un proceso de divulgación boca a boca ampliado por una base de fans *on-line* y por el efecto *feedback* de tales recomendaciones algorítmicas "adaptables".

Barile y Sugiyama (2015) señalan críticamente a este respeto que las elecciones del oyente, guiadas por análisis estadísticos de preferencias y recomendaciones por medio de sistemas automatizados, redundan en una situación que ellos llaman de "homología digital" de consumo y que puede incluso atrofiar la dimensión cultural de las prácticas musicales. La experiencia musical sería, por lo tanto, mensurable y calificada por algoritmos que se tornan parte integral de la experiencia social, un síntoma de estrategias recientes del capitalismo que abarcan una "robótica emocional" o, como los ingenieros actualmente denominan: "ecuación de *e-motion*". Las nociones de "computación ubicua" y "robótica ubicua" son signos de un proceso de automatización de las elecciones en un mercado de (in)formación de la sensibilidad.

Las recomendaciones de música vía filtros algorítmicos, sin embargo, no se adaptan con eficacia a todos los géneros y, mucho menos, a todos los oyentes. Uno de los problemas señalados por Anderson (2006) es que las listas tienden a limitar sus sugerencias con mucha rapidez, a medida que el usuario profundiza en nichos en los que tal vez haya pocas personas cuyas preferencias puedan ser medidas. Otro problema es que los servicios no son capaces de estimular al oyente a explorar, por ejemplo, un género nuevo. Se infiere en que, a pesar de un aumento exponencial del acceso a obras, a informaciones sobre música y de conexiones entre oyentes, la experiencia de la escucha *on-line* continúa sometida a regímenes condicionados por las industrias de contenido y de distribución.

Los sistemas de recomendaciones todavía se encuentran, para la autora Hagen (2015), a pesar de la creciente adhesión de los oyentes, en una fase formativa y aún se investigan limitaciones y potencialidades para la experiencia musical mediada por tales métodos de curaduría. Especialistas en algoritmia creen en la optimización del sistema, pero los datos son cada vez más numerosos, exigiendo algoritmos siempre más complejos. En términos musicales más estrictos, los metadatos automatizados no se adaptan con eficacia a la idiosincrasia de cada oyente. Martel (2016), a su vez, afirma que el algoritmo alcanza muchos matices, pero realmente no consigue prever lo que las personas desean, porque existe un gran margen de imponderabilidad en los hábitos de escucha. Muchas veces uno busca obras por mera curiosidad y los algoritmos procesarán esas búsquedas y podrán traer recomendaciones indeseadas. La cantidad de datos cruzados es, no obstante, cada vez más relevante, y hacer una previsión se va haciendo cada vez más difícil.

Los métodos de curación digital, debido a sus limitaciones técnicas y a sus políticas promocionales, no siempre aproximan al público a las composiciones de artistas emergentes, corriendo el riesgo de frustrar la experiencia social de los hallazgos musicales. Para Martel (2016), en la mayoría de los casos, ni la crítica tradicional ni el algoritmo son hoy más pertinentes y, por esto, acuñó el término *smart curation* para designar un proceso de modalidad mixta de curaduría que se preocupa por el tratamiento matemático de datos corregido y completado por una intervención humana. El autor apunta que estos modos heterogéneos, por los cuales los sistemas de recomendación entrelazados con las redes sociales pueden promover prácticas de curaduría, ultrapasan las limitaciones de dichos sistemas.

Lessig (2008) nos dice que tales servicios han impulsado un modelo de consumo y de acceso musical distinto de sus antecesores, pero estos cambios en la mediación entre los actores de la industria fonográfica, los artistas y el público resultaron, de una forma irónica, en adaptaciones restrictivas para la promoción de trabajos de compositores emergentes. Esto ocurre por decisiones políticas internas en los servicios que condicionan la lógica del funcionamiento de sus sistemas de curaduría. Consecuentemente, aunque un artista independiente o poco conocido tenga su trabajo incluso en una de estas plataformas, la posibilidad de que sus obras sean descubiertas por los usuarios serán muy limitadas.

Hay, sin embargo, personas que hacen en las redes sociales recomendaciones de artistas, composiciones, álbumes, conciertos, videoclips, *playlists* y que, con el trabajo de algoritmos, impulsan la circulación, la publicación, la promoción, los encuentros y los descubrimientos musicales. Al respecto, Hagen (2015) afirma que a pesar de los hábitos de escucha mediados por las *playlists* automatizadas, las habilidades desarrolladas por el frecuentador para encontrar recomendaciones y realizar exploraciones musicales resultan, en gran medida, de la comunicación personal. La experiencia vinculada a los servicios de recomendación, entre tanto, es importante para el cultivo musical, pues invita e implica al oyente a planear, compartir, recomendar, explorar, reencontrar obras o hallar trabajos emergentes.

Estrategias de promoción adoptadas por los servicios de música en *streaming*

Spotify (www.spotify.com) fundado en Suecia por Daniel Ek y Martin Lorentzon en 2006 y lanzado en octubre de 2008, destaca como una plataforma que tuvo una rápida penetración en el mercado del consumo musical. En 2015, alcanzó el 58% del mercado global. Se trata de un servicio de *streaming* que posee actualmente un catálogo legalizado de más de 30 millones de obras y se basa en la estrategia *freemium*, ofreciendo acceso gratis, pero intercalado por publicidades que, a su vez, instigan al oyente a suscribirse a la versión Premium, con derecho a *playlists* personalizadas e integradas en las redes sociales. Computando lo que los usuarios escuchan, qué artistas siguen, lo que sus amigos en las redes escuchan, Spotify promete generar sugerencias "customizadas" para perfeccionar su sistema de recomendación y de consecuentes "descubrimientos" musicales. El servicio introdujo el *discover weekly*, una *playlist* algorítmicamente personalizada basada en los hábitos de escucha. Con la compra de Echo Nest (plataforma de inteligencia de datos para música) en 2014, Spotify prometía combinar el conocimiento humano con la curaduría social y algorítmica, ofreciendo aplicaciones que favorecían a la música además de informaciones tomadas de revistas musicales, sellos u organizadores de festivales.

El WiMP (*Wireless Music Player*) fue lanzado en Noruega en 2009 como una colaboración entre el servicio proveedor digital Aspiro (www.aspiro.com) y la mayor tienda minorista de discos de Noruega, la *Platekompaniet* (www.platekompaniet.no). En 2015, un grupo que incluía al rapero Jay-Z compró la empresa de sus desarrolladores y la relanzó en el mercado mundial con el nombre Tidal. Disponible en 38 países, la plataforma cuenta con un equipo editorial formado por ex-funcionarios de tiendas de discos, presentada como alternativa humana para la curaduría musical. Sus equipos proveen un servicio de contenido con curaduría, promoción de música local en cada país, compilación de *playlists* transnacionales dedicadas a los eventos de la temporada, festivales y conciertos, retorno o muerte de artistas. La plataforma también ofrece contenido de revistas, artículos, críticas y entrevistas con artistas, además de publicar *playlists* de invitados. Tidal no ofrece acceso libre bajo el argumento de que con mayor número de suscriptores es posible revertir los lucros directamente para artistas y propietarios de derechos autorales. Otra tendencia de Tidal es dar énfasis a la escucha de álbumes, opuesto a la inclinación de Spotify para la escucha de pistas individuales, tal vez por la posibilidad de apreciación de pistas más que de álbumes.

Apple lanzó en 2015 el Apple Music, cuyas versiones más simples incluyen radio en *streaming*, tal como Pandora, Songza o iHeart Radio. Apple Music, al igual que Spotify, dispone de cerca de 30 millones de archivos, además de la misma posibilidad de que se creen *playlists*, funcionalidades de radio basadas en elecciones previas de canciones, modo de escucha *off-line* y curaduría de *playlists* basada en estados de ánimo y sugerencias de músicas ligadas a los hábitos de escucha. Al igual que Spotify, Apple Music permite que el oyente cree su propia estación de radio a partir de cualquier canción o artista. La sección *For You* provee álbumes y *playlists* basados en definiciones de preferencias y hábitos de escucha. Cada vez que se abre la aplicación, la selección musical es diferente. Apple Music es la única que posee un Instagram para música (*The Connect*) en el cual hay una función para que los artistas interactúen con los fans. El servicio abastece, también por medio de los algoritmos de recomendación, la página del usuario basada en sus hábitos de escucha. Los artistas pueden igualmente publicar mensajes, fotos e informaciones sobre canciones o encuentros, y los fans pueden comentar y compartir lo que reciben. La idea inicial es que los artistas puedan usar la plataforma para aumentar los ingresos por *merchandising* o construir su base de fans. Apple Music presenta cinco opciones principales en la pantalla: For You, New, Radio, Connect y My Music. En la opción New son mostrados instantáneamente audios o videos de 30 segundos e informaciones sobre artistas. La plataforma adquirió Semetric, empresa prestadora de servicios de musicometría para compañías fonográficas, especializada en análisis de datos sobre *downloads* y *streaming* de música vinculados a las redes sociales. Las compañías discográficas, a su vez, han invertido en este área como Sony Music comprando Filtr, Universal Music lanzando Digster.fm y Warner Music comprando Playlists.net, que agrega y recomienda *playlists* creadas por Spotify.

Mencionamos también las plataformas ubuweb.com, SoundCloud y radiooooo.com cuyas políticas de acceso, publicación y curaduría pueden inspirar otras formas de conciliar, incluso en servicios comerciales, prácticas y experiencias que favorezcan acciones creativas para la cultura musical. El sitio ubuweb (www.ubuweb.com), es una iniciativa individual del poeta Keneth Goldsmith, surgida en 1996 con la finalidad de preservar obras y de ofrecer a investigadores y fans trabajos poco conocidos para el público *mainstream*, en especial de música concreta y electroacústica, poesía audiovisual, arte sonoro y composiciones experimentales de los siglos XX y XXI. Es de acceso libre y se pueden bajar gratuitamente algunos de los archivos en formato mp3.

Del mismo modo, SoundCloud (www.soundcloud.com) es, desde 2007, una plataforma de difusión musical con funciones de red social especialmente diseñada para músicos que posibilita que divulguen sus propios trabajos. El artista puede subir y mostrar sus creaciones, seguir a otros artistas y comenzar a construir su comunidad y red de contactos.

A su vez, la naturaleza colaborativa de las recomendaciones de la aplicación Radiooooo (www.radiooooo.com), que se auto titula *the time machine music*, deriva del trabajo de curadores contratados sobre las contribuciones espontaneas de sus oyentes. La aplicación se aprovecha de las ventajas de la web, que es la motivación con la que las personas se unen para actuar en una causa común.

Benjamin Moreau, artista y dj, concibió en 2013 con el productor musical, supervisor de bandas sonoras y coleccionista de música Raphaël Hamburger, esta aplicación cuya curaduría del repertorio se organiza entorno a la búsqueda por décadas y países. En colaboración con Anne-Claire Troubat, levantaron fondos a partir de una comunidad de contribuyentes aficionados a la música para lanzarlo. Radiooooo cuenta con curadores contratados para seleccionar las sumisiones de decenas de miles de colaboradores. La propuesta se basa en una especie de recorrido por el tiempo histórico (desde 1900 al año en curso) y la geografía cultural de los cinco continentes. Sus propietarios afirman que el mecanismo de elecciones ofrecido por sistemas algorítmicos es ilusorio, una vez que el exceso de archivos se torna, irónicamente, un constreñimiento a las elecciones del oyente. La política de curaduría musical de Radiooooo, según sus creadores, no se fía de los algoritmos de metadatos, pues estos no alcanzan cualidades intangibles de la música que los usuarios comprometidos con la curaduría parecen lograr.

Políticas de publicación y promoción de la cultura musical en las plataformas de *streaming*

En la misma dirección apuntada por Meleiro (2009) creemos que importa pensar en estrategias que se realizarían por medio de políticas públicas que implementen modos de valerse de las prerrogativas tecnológicas, legales y comerciales para fomentar condiciones de creación y experiencia musical. Las posibilidades de interacción y contacto entre artistas y público pueden practicarse por medio de los servicios en *streaming* como experimentación de la escucha musical. Proponemos algunas acciones para fomentar modos de publicación y acceso a composiciones musicales vía servicios en *streaming*. Tales iniciativas se realizarían por medio de proyectos políticos que implementasen modos de valerse de las prerrogativas tecnológicas, legales y comerciales para incrementar condiciones de creación y de experiencia musical. Sería pertinente implementar, bajo el concepto de "economía política", acciones institucionales asentadas sobre las premisas de las "industrias creativas" para promover inversiones sobre la gestión de estas plataformas musicales.

Esta cuestión, que se compromete con la creación de las artes y de las posibilidades de un contacto más estrecho entre artista y público, no puede eximirse de encarar acciones más audaces para proteger la producción artística en un escenario que continúa regulado, en última instancia, por el mercado y por el sistema contractual tradicional implementado por la industria de contenidos. La idea de "economía política" presupone, según las ideas de Meleiro (2009), que se realice un conjunto de iniciativas orientadas a la ampliación del acceso y de la convivencia entre diversos medios de creación y difusión de bienes culturales. El enfoque de la economía política debe, por lo tanto, mezclar factores "micro" y "macro-económicos", ambos condicionantes de la cadena productiva de la industria cultural. Se hace, por lo tanto, necesario repensar por qué vías la economía dirigida por actores hegemónicos podría ser reconducida por acciones decisivas de los gobiernos en beneficio de artistas y productores independientes. Tales acciones serían realizadas, según Meleiro (2009), por medio de políticas públicas de anticoncentración, promotoras de la diversidad de la producción independiente. La iniciativa política que pasa por el Estado, a su vez, necesita democratizar la estructura del mercado, el acceso a los fondos públicos y los cambios en el ámbito legal.

En otros términos, las acciones institucionales deben direccionarse a investigar seriamente las estrategias comerciales de los grandes grupos empresariales de la industria fonográfica y el mercado *on-line*, porque la comprensión de sus prácticas puede tornarse un punto de partida fundamental para la formulación de políticas públicas más perfiladas hacia las especificidades de estos sectores. Tales iniciativas políticas necesitan conocer los contextos de creación y de registro musical, los canales de distribución, las inversiones en la promoción y en campañas de marketing. Solamente por este principio, afirma la autora, algunas obras originales podrán tornarse viables económicamente.

La importante cuestión que desafía a todos aquellos que se comprometen con la creación de las artes y de las posibilidades de contacto entre artista y público no puede eximirse de encarar estrategias más audaces para proteger y fomentar la producción artística en un escenario que continúa regulado, en última instancia, por el mercado tradicional implementado por la industria de contenidos. En el plano estructural que sostiene los procesos económicos en los países, la mayoría de los recursos son públicos, pero la decisión de adjudicarlos casi siempre es tomada por los agentes que actúan en el mercado, y se vuelve necesario repensar por qué vías la economía dirigida por actores hegemónicos podría ser reconducida por la acción decisiva del Estado. Esto porque, de acuerdo con la autora, "en ausencia de ideas y acciones que alcancen puntos de equilibrio entre los emprendimientos capitalistas y la intervención pública, los grandes capitales continuarán, obviamente, beneficiándose incluso de la expansión de la pequeña producción" (Meleiro, 2009: 8).

El recorrido de ideas y acciones que Meleiro (2009) señala para activar el universo creativo, cultural y económico del arte, y que puede inspirarse en el precepto conceptual –ya sea en experimentación en otros países, como Inglaterra y Australia– es el de las llamadas industrias creativas. El concepto define, según la autora, "el ciclo que engloba la creación, producción, y distribución de bienes y servicios que usan la creatividad y el capital intelectual como sus principales valores, produciendo productos dotados de valor económico y cultural, contenido creativo y objetivos de mercado." (Meleiro, 2009: 44) La relación entre la creatividad, la cultura, la economía y la tecnología se manifiesta, continúa la autora, en la habilidad de transformar ideas en productos o servicios creativos dotados de valor cultural y económico, creando y distribuyendo capital intelectual. Las inversiones en políticas para enfrentar los problemas del equilibrio entre arte y mercado deben asumir que existen productos y servicios que no pueden ser analizados simplemente desde el punto de vista económico-comercial, sino principalmente por lo que incorporan de valor cultural creativo.

No se trata, no obstante, como reafirma Meleiro (2009), de "dirigismo cultural", tampoco de "dirigismo de mercado". La acción política que pasa por el Estado debe cuidar de democratizar la estructura de mercado y el acceso a los fondos públicos, de modo que se encamine hacia una efectiva "democracia cultural". La idea de economía política presupone, dice la autora, que se realice un conjunto de iniciativas orientadas a la ampliación del acceso y de la convivencia con "diversos medios de creación y distribución de los bienes culturales". Para estos fines, concebir y practicar políticas culturales e iniciativas económicas sería una pre-condición para la creación de un mercado genuino de productos culturales y artísticos. Por tal razón, toda producción financiada con recursos del Estado merece, para la autora, una "atención ética especial" que contemple, en lo que se refiere a los problemas de los derechos autorales y de la propiedad intelectual, la esfera jurídica.

Lo que defendemos es que, a pesar de los condicionamientos económicos y jurídicos que orientan el acceso musical *on-line*, ciertas modalidades de interferencia institucional podrían exhortar las prácticas culturales de creación y escucha musical. Por tal razón, la producción creativa merece una atención que contemple los problemas de la esfera legal, pues las condiciones contractuales siguen conservadas tal cual eran dispuestas en la época de la industria fonográfica tradicional. Una salida crucial para intentar equilibrar las fuerzas económicas de los gestores de derechos autorales y propiedad intelectual sería, en principio, enfrentar por vías institucionales la actual reglamentación del *copyright*.

Recordemos que, en algunos de estos servicios, existen posibilidades de que suscriptores compartan archivos y, muy restrictivamente, de que artistas independientes divulguen su trabajo. Mayormente, las modalidades de promoción musical provienen de los archivos adquiridos por las editoriales. Cuando estos sean "hosteados" por parte del artista, este tendrá que cargar con costos adicionales en el caso de que desee ser recomendado a los oyentes por medio del sistema de curaduría de esos servicios. Nuestra propuesta se inclina, por eso, hacia el incentivo a modalidades de aproximación entre artista y oyente, bajo el auxilio institucional para costos legales, técnicos y mediáticos, propiciando circunstancias de creación y escucha musical. Podría por esa razón pensarse en la financiación institucional de proyectos de servicios de recomendación musical que fueran pautados por filtros de curaduría colaborativa, como los métodos de evaluación pública, entre otras iniciativas de concepción colectiva como las integradas a las redes sociales.

Un aspecto menospreciado se refiere a las prácticas culturales, o sea, el fomento de la producción presupone el favorecimiento de modos análogos de formación de la demanda. Las desigualdades de públicos siguen, de cerca, las desigualdades sociales. Es preciso estimular y direccionar la oferta de forma específicamente orientada, redistribuyendo el apoyo público entre los diversos segmentos del mercado musical. Las instituciones gubernamentales precisan simultáneamente dinamizar la demanda en términos económicos y culturales, para permitir la diversificación de la oferta musical. Otra importante acción para el fomento de la producción musical sería la inversión en recursos humanos por medio de la capacitación de profesionales, así como de instrumentistas, arreglistas e intérpretes, ingenieros de sonido, técnicos de apoyo y de informática aplicada al registro y tratamiento musical, productores musicales, creativos de publicidad y marketing cultural, entre otras competencias relacionadas con el ramo. Defendemos todavía que la captura y la colección de archivos como prácticas sociales de intercambio deben ser tratadas no como piratería, ni como productos básicos, y sí como bienes culturales que circulen con fines de conservación y de ampliación del alcance de la creación o de la investigación musical.

Conclusión

Nos preguntamos si, a pesar de los condicionamientos que orientan los servicios de *streaming* y la automatización algorítmica de la curaduría en la esfera del consumo, sería posible plantear el potencial de interacción que pueden desmantelar la "interactividad" preestablecida por dispositivos económicos y tecnológicos sobre la cultura musical contemporánea. De hecho, las prácticas interactivas pueden desestabilizar las codificaciones de dispositivos económica y culturalmente instalados, y despertar acciones que cambian y reinventan los dispositivos accionados. Las condiciones contextuales y los procesos interactivos a través de dispositivos ya establecidos propulsan, muchas veces sin que se prefiguren, el surgimiento de otros dispositivos experimentales que renuevan el propio dispositivo, desencadenando las respuestas estándar, reabriendo y redimensionando el dispositivo anteriormente estabilizado. Las acciones e interacciones despertadas por la experiencia con los sistemas de recomendaciones presentes en las plataformas *on-line* pueden desarmar algunos principios axiomáticos de los dispositivos tecnológicos y propiciar una experimentación o una improvisación diferente de los usos programados por sus gestores. Y, justamente por no ser codificadas, las interacciones traen implícitamente procesos que se desdoblan en otros procesos, desestabilizando o redimensionando las potencialidades de los dispositivos.

Las imprevistas acciones generadas por los encuentros singulares en la web pueden motivar al oyente a crear un proceso que, además de comunicativo, promueva un "contagio" entre escuchas. Y, al proporcionar formas transversales de interacción y contacto entre artistas y público, la experiencia puede practicarse por medio de los servicios de *streaming* como una potencial actitud de experimentaciones de la escucha. Tales prácticas podrían materializarse en otras experiencias que se influencien mutuamente, fomentando una cultura musical volcada hacia un consumo creativo orientado a diferentes modos de escucha.

Las plataformas independientes aquí mencionadas (ubuweb, Soundcloud y radiooooo), a pesar de sus especificidades y limitaciones, trabajan políticas diferentes en sus servicios comerciales (como los citados Spotify, Apple, Tidal) que pueden despertar ideas para la concepción de proyectos que extiendan las prerrogativas de mediación musical. La interfaz de usabilidad y los métodos de recomendación presentes en las aplicaciones comerciales se conectarán, tal vez, con la posibilidad de publicación libre (a ejemplo de *Creative Commons*), fomentando las prácticas de mantenimiento del acervo cultural y de curación hechas tanto por sus usuarios como por cualquier persona en la web.

Los servicios especializados de recomendación, quizás motivados por una sensibilidad que avanza con el alcance gradual de la implementación de las industrias creativas, por políticas públicas o por proyectos de leyes, necesitan mezclar sus modelos macropolíticos de negocios con acciones micropolíticas de personas que surgen como curadores exentos de intereses monetarios. Estas y otras modalidades de mediación pueden asumir hábitos de recomendación que exhorten al público a la exploración y la sugerencia de obras o artistas no siempre contemplados por la industria de contenidos. Finalmente, la coexistencia entre formas de acceso condicionados por los dispositivos de *streaming* y las interacciones sociales que impulsan iniciativas de curación en las redes podrán contagiar prácticas culturales, tanto de preservación de la memoria musical como de experiencias creativas de escucha.

Referencias bibliográficas

Anderson, C. (2006). A Cauda Longa: do mercado de massa para o mercado de nicho. São Paulo: Hyperion.

Barile,N. y Sugyiama, S. (2015). The Automation of Taste: a theoretical exploration of mobile ICTs and social robots in the context of music con-sumption. International Journal of Social Robotics, 7 (3), p.407-416.

Hagen, A.N. (2015). Using Music Streaming Services: Practices, Experiences and the Lifeworld of Musicking (Tesis de Doctorado en Filosofia de la Facultad de Humanidades, Oslo Universty).Siegel, H. (2002). Philosophy of Education and the Deweyan Legacy. *Educational Theory*, 52 (3), 273-280.

Lessig, L. (2009) Remix: making art and commerce thrive in the hybrid economy. London: Penguin Books.

Martel, F. (2016). Smart: uma pesquisa sobre as internets.

http://www.revistas.usp.br/Rumores/article/view/124273 [23/06/2017].

Meleiro, A. (2009). Cinema e economia política. São Paulo: Escrituras Editora.

CAPÍTULO IX

SMALL DATA Y PALABRAS CLAVE: NUEVOS MÉTODOS DE DIFUSIÓN MUSICAL

Alexandra María Sandulescu Budea

Universidad Rey Juan Carlos, España

Resumen

El consumo de música digital se ha convertido con el paso del tiempo en una dinámica donde producción y difusión se fusionan conforme los nuevos roles de la industria musical se van profesionalizando en entornos digitales y van surgiendo nuevos perfiles (IFPI, 2017).

De esta forma, la transmedialidad afecta al propio producto ofertado y el efecto red pasa a crear una tendencia donde el usuario selecciona no tanto por gusto sino por uso (Hernández, 2012): la búsqueda de contenido musical empieza a sufrir entonces variaciones en el momento en que su oferta se concentra cada vez más y su tráfico se ve afectado por la aparición de palabras clave cada vez más específicas que surgen de una necesidad concretada ligada con la distinción mediática (Zink; Suh; Gu; Kurose, 2012) favorecidos por las propias métricas que determinan la experiencia del usuario y el grado de interacción con los contenidos (Nogueira, 2017). Es entonces cuando, se empieza a crear la tendencia de que no hay que manejar muchos datos sino los más correctos y relevantes que ofrezcan esas palabras clave (Lindström, 2017).

De esta forma, la ponencia propuesta plantea a través de un análisis de palabras clave como el Small Data está influyendo en los patrones de conducta de búsqueda de contenido musical y como estos pueden prever tendencias digitales futuras.

Palabras claves

Música digital, redes sociales musicales, Youtube, Analítica en Ciencias de la Comunicación, hashtag, palabras clave, métrica digital y monitorización.

Abstract

Over time, the consumption of digital music has become a dynamic in which production and dissemination are combined, as the new roles of the music industry become more professionalised in digital contexts and as new profiles emerge (IFPI, 2017).

Thus, transmediality affects the very product offered and the network effect leads to the creation of a trend in which the user selects not so much by choice, but usage (Hernández, 2012). The search for musical content thus begins to undergo variations the moment its offer becomes increasingly concentrated and its transit is affected by the appearance of increasingly more specific keywords that stem from a specific need associated with mediatic distinction (Zink; Suh; Gu; Kurose, 2012), favoured by the very metrics that determine the user's experience and the level of interaction with the contents (Nogueira, 2017). This has led to the creation of the trend that rather than dealing with a lot of information, one has to handle the most correct and relevant to offer these keywords (Lindström, 2017).

Through an analysis of keywords, this paper thus suggests how Small Data is influencing behavioural patterns of musical content searches and how these can forecast future digital trends.

Keywords

Digital music, musical social networks, Youtube, Analytics in Communication Sciences, hashtag, keywords, digital metrics, monitoring.

Introducción

Si por una fracción de segundo nos pusiéramos a pensar cuando fue la última vez que supimos de la existencia de un nuevo grupo de música, una nueva tendencia, género musical o simplemente una canción no escuchada hasta entonces pero que nos generara un sentimiento de repercusión sin que en ese proceso utilicemos ni Google ni Youtube ni las redes sociales probablemente el espectro variaría de la nada a un leve recuerdo.

Si a esta formulación le añadimos una perspectiva docente nos encontramos que las estructuras mentales han ido evolucionando conforme nos hemos ido adaptando. Los denominados *pasos-sound* (Hernández, 2012: 1) son la consecuencia de una generación que va olvidando progresivamente, conforme se va adaptando a cada nuevo software o plataforma, que la formación del pensamiento y la capacitación cultural que ofrece el razonamiento de información codificada no es exclusiva de los entornos digitales. Por otro lado, el desarrollo de tendencias paralelas que otorgan plataformas como Linkedin, MySpace, Facebook o Instagram según cada generación (Martínez, 2011) no ayuda a la comprensión de dichas secuencias temporales que son necesarias y están implicadas en la misma.

La música es uno de los aspectos que, muchas veces de forma inconsciente, ejercita el equivalente mental en la coordinación entre vista, cerebro y procesos mentales. Son muchas las propiedades, a diferentes niveles, donde el ejercitar, escuchar o aprender favorece la comprensión en la captación de información fundamental para la vida. De hecho, para Miguel de Aguilera (2008) los estudios de las prácticas culturales desde mitad del siglo XX y hasta principios del siglo XXI ponen de manifiesto cómo las sucesivas generaciones han ido incorporando, conforme iba avanzando la tecnología musical, tanto condicionantes culturales como razonamientos específicos resultado de búsquedas musicales. Lo que para Bobby Owsinski (2017) produce a la larga abandonar ya la generación 4.0 musical hacia un estado de neutralidad donde el consumo musical se rige por la visualización en plataformas diluyéndose de forma progresiva la marca de autor a favor del género y donde la flexibilidad se impone no solo a nivel digital sino como forma de vida; para Zygmunt Bauman (2000) esto se traduce en un impacto constructivo que al aplicarlo en las perspectivas docentes, en lugar de estar atento a los cambios de las nuevas generaciones atendemos más al estudio de cómo diferentes grados de aprendizaje pueden ser transferidos. De forma que, en vez de estudiar lo que se puede hacer con la tecnología nos centramos en lo que la tecnología y las plataformas hacen por nosotros (Henry Jenkins en Monzoncillo y Haro, 2017).

Un buen ejemplo de ello es el uso de las palabras clave. Estos términos se han transformado en la base de clasificación que organiza las estructuras mentales hoy en día: cualquier duda, planteamiento, sugerencia o aspiración puede resumirse en una palabra clave que se engloba en una categoría y se localiza a través de un tag o # (Sandulescu, 2017) y en la musicología, al margen de objetivos particulares e individuales, esto se traduce en la posibilidad de *añadir etiquetas a información musical con la misma facilidad con la se podría etiquetar un texto* (Griffiths, 2014: 2).

En lo que respecta al área de comunicación, los departamentos de comunicación y la industria musical dan un paso más allá cuando fusionan dichas estructuras mentales con plataformas especificas aplicadas a nichos concretos para la obtención de beneficios ya sean tangibles o económicos como intangibles o de recomendación y extensión de reputación digital. De esta forma, la música se posiciona como una de las principales áreas de promoción cultural, diversificación de mercado y modelo de creación de hibridaciones constantes que alimentan un mercado basado en cuatro estructuras: Grabaciones físicas, Grabaciones digitales, Descargas, Streaming y acciones digitales (WIN, 2016). Si reducimos el espectro a la comunidad musical independiente nos encontramos que el 52% utiliza la plataforma de Google como cuota de mercado para la difusión y promoción de música (UFI, 2017) siendo esta en España la más utilizada con un 94% de uso en la plataforma Youtube (StatCounter, 2016) ocupando el tercer puesto en el ranking global y el cuarto en España tras las plataformas de Google y Facebook (Alexa, 2016).

A nivel digital esto se traduce en un posicionamiento con una segmentación organizada en torno a palabras claves que generan una atención específica entorno a unas visualizaciones muy concretas que limitan la búsqueda de nuevos parámetros (Davenport y Beck, 2001) propios del ecosistema digital (Herrera, 2015) encontrando dos categorías: palabras clave cortas (asociadas normalmente a un nombre o a un titulo corto) y palabras clave largas (asociadas a un concepto, tema o estructura). Bajo esta premisa solo se la considera como tal cuando haya alcanzado una búsqueda mínima de mil veces mensuales (Neottack, 2017) que aplicado a sectores independientes evolucionan al small data o lo que es lo mismo identificar causas en particularidades locales (Martínez, 2016).

Es en este punto cuando nosotros proponemos la aplicación de un estudio práctico aplicado a una plataforma concreta.

Objetivos Generales

Teniendo en cuenta lo expuesto anteriormente lo que proponemos en esta investigación es un estudio de palabras clave enfocadas a aquellas discográficas independientes con sede en España y con presencia activa en Youtube. Para ello tenemos en cuenta una serie de condicionantes y características:

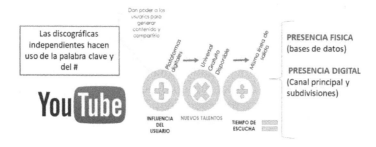

Figura I: Condicionantes y características del modelo. Fuente: Elaboración propia

Entendemos por presencia activa la publicación diaria. El estudio hace referencia a como aparecen reflejados los resultados en el buscador conforme palabras determinadas que previamente han sido seleccionadas en función de su competencia, mercado existente, análisis e identificación a través del planificador han evolucionado para realizar una selección final en base a la intención de búsqueda y el criterio obtenido de la combinación entre la influencia del usuario en la plataforma, la posibilidad de obtención de nuevos talentos (o nuevos productos) dentro de la disponibilidad de la plataforma y el tiempo de escucha obtenido de la fusión en la recolección de datos de las discográficas bien a través de las bases de datos obtenidas por presencia física o bien por la monitorización de su presencia digital con su canal mayoritario y sus subdivisiones más importantes.

Nuestro objetivo principal es, una vez localizadas aquellas palabras que más se utilizan para la búsqueda de contenidos musicales (prioritariamente para sectores independientes) analizar dentro de la plataforma si efectivamente son útiles esas palabras y cuál es su ranking de uso y si efectivamente devuelven el resultado que plantean. Para ello establecemos un segundo objetivo para averiguar si existe una visibilidad real con el resultado:

Figura II: Relación versión-palabra clave en la plataforma. Fuente: Elaboración propia

Entendemos que debe haber una relación directa entre los resultados obtenidos en la búsqueda y la visibilidad del propio contenido pero nos interesa averiguar si el resultado es el mismo cuando introducimos alteraciones como el uso del # o si la búsqueda ofrece los mismos resultados cuando utilizamos diferentes soportes o ubicaciones. Para ello, seleccionamos de una muestra inicial de 60 discográficas independientes con presencia física, una muestra final de 48 con presencia digital como nexo principal[55].

Método

La primera fase cuenta con la localización y elección de palabras clave para poder establecer su estudio en la plataforma.

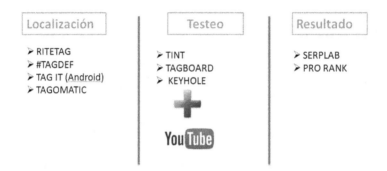

Figura III: Localización de palabras clave. Fuente: Elaboración propia

Las herramientas nos ayudan a averiguar cuáles son las palabras clave que más utiliza el motor de búsqueda a partir de un término base que en nuestro caso ha girado en torno a "independiente", "música vs música independiente", "artista vs artista independiente", "grupo vs grupo independiente" y "sello vs álbum vs independiente".

A esta terminología le hemos ido añadiendo palabras que se clasifican por letra de comienzo. De esta forma podemos sacar términos relacionados que son añadidos en una hoja de Excel.

Una vez localizados, testeamos esos términos para ver su viabilidad y con los resultados obtuvimos un listado amplio que, a través del planificador nos devolvió una tendencia en el volumen de búsquedas[56].

---

[55] A estos hay que añadir las diversificaciones propias del medio: artistas o grupos musicales que, al margen del canal principal, tienen también su propio canal.
[56] Este paso no lo aplicamos para todas las palabras clave sino para las 22 con mayor volumen de búsqueda. Para más información acudir al epígrafe de los resultados de este mismo capítulo.

Visualmente la metodología cumple con una serie de fases:

Figura IV: Proceso metodológico. Fuente: Elaboración propia.

Analizamos en la plataforma seis niveles de profundidad que incluyen: uso de la integración de elementos, su interfaz, la estructura de datos por usuario, el diseño de su plantilla a nivel de contenido, uso y accesibilidad. Los datos extraídos deben coincidir con los ofertados en buscadores internos y la búsqueda a la inversa es decir no partiendo de la plataforma sino de un buscador externo también debe ofrecer el mismo resultado bajo la misma palabra clave.

La metodología comprende seleccionar elementos de cada una de las páginas (o canales) y extraer e identificar cuáles son los elementos y palabras clave que mayor número de resultados ofrece en las búsquedas.

Para ello, hacemos uso de programas de extracción concretos (Scraping, Web Scraper, Import.io o Phyton/R) para después medir su rendimiento a la hora de ofrecer resultados integrados y averiguar si existen diferencias reales entre las dos modalidades.

De esta forma el análisis comprende el proceso desde el video subido por la discográfica, pasando por su ubicación dentro de una plantilla estándar, cómo interactúa y adquiere una posición dentro de un estándar de resultados con la aplicación de una métrica concreta (número de visualizaciones con respecto al ratio de visitante frente al ratio de usuario).

Figura V: Descripción del proceso. Fuente: Elaboración propia.

Se establece un rango de fechas que comprende desde marzo a octubre de 2017, con registro de actividad de agosto a octubre de 2017 y con un campo de conocimiento enfocado en la música cuya área de interés sean las creaciones originales excluyendo hibridaciones, mashups o derivados.

La descripción de variables de estudio comprende:

- Variables cualitativas en las que se incluye el área o disciplina analizada: Ubicamos la plataforma en el área de estudio de Ciencias de la Comunicación pero no como elemento independiente ya que puede estar dentro del subconjunto del área de Musicología e Industria cultural ya que existe una interpretación en la elección de las palabras clave.

- Variables cuantitativas en las que se hace referencia a los asistentes técnicos para la definición de palabras clave, prototipado, evaluador de versiones, desarrollo de fuentes de datos, extracción, limpieza y formateo de datos.

- En esta área se incluye también el uso de búsquedas por palabras clave (con o sin #) estableciendo un ranking de aquellas con mayor volumen de búsqueda.

Los criterios de extracción comprenden campos de búsqueda donde se incluye palabras clave que contengan "independiente", "música vs música independiente", "artista vs artista independiente", "grupo vs grupo independiente" y "sello vs álbum vs independiente" al que se le añade el uso o no uso de # que contenga la forma inespecífica de "independiente". Correlación o no correlación que corresponde con el idioma español ya que nos interesa conocer la situación dentro de los límites posibles del mercado en España.

Aún así, nos hemos encontrado con problemas que se han repetido en el tiempo como es la duplicidad en el contenido ofertado en el ranking de resultados o la desactualización en algunos canales durante el proceso de investigación que no son objeto de este estudio pero si son importantes de señalar porque afectan a la efectividad de las palabras clave: la normalización en el nombre tanto del grupo o artista como de canciones o incluso de la propia discográfica al que se asocia la palabra clave también ha favorecido esa duplicidad por lo que se ha optado por eliminarla del listado final dando prioridad al uso efectivo que hace el visitante con respecto al usuario[57].

Resultados

A continuación mostramos los resultados del estudio con sus gráficos correspondientes:

a) Distribución del etiquetado por grado de utilización

Los 48 canales analizados devuelven un listado de 22 palabras clave que son utilizados según % de la siguiente forma:

Unreleased	2	Inédita	5	Alttake	1
Demo	1	Original	1	Toma alternativa	1
Instrumental	1	Version	11	Acapella	1
Cover	5	Alternativo	2	Vocal	53
Guitar	1	Karaoke	5	Como tocar	1
Song	1	Canción	1	Duet	1
Con	1	HQ	1	Remix	1
Live	1	Studio	20		

RANKING
#Vocal #Guitar
#Studio #Comotocar
#VersionInédita #song
#Cover #canción
#Karaoke #con
#Unreleased #HQ
#Alternativo #remix
#Alttake #live
#Tomaalternativa #duet
#Demo
#Original
#Instrumental
#Acapella

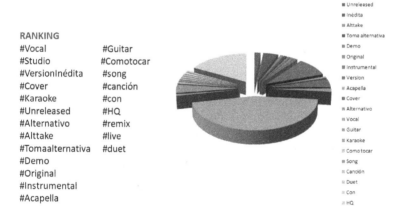

Figura V: Distribución de palabras clave según etiquetado. Fuente: Elaboración propia.

---

[57] En este estudio nos interesa conocer como las palabras clave ofrecen un resultado único en la búsqueda. Un usuario ya conoce el contenido previamente y por lo tanto puede sesgar ese resultado mientras que el visitante recolecta el resultado por primera vez. Las propias herramientas ofrecen la posibilidad seleccionar la modalidad de análisis.

Llama la atención que la mayor parte del uso de palabras claves sea para una utilidad práctica al usuario donde raras veces aparece asociado un nombre en concreto: solo cuando aparece el listado de resultados y según el trabajo de visualización de cada canal se da la relación de nombres de artistas, grupos o discográficas determinadas pero no son elementos que busque el usuario propiamente dicho.

De entre ellos también llama la atención que aparezcan palabras en inglés o términos universales (como karaoke, cover o remix entre otros).

b) Distribución por grado de visualización

Para establecer el grado de visualización de las palabras clave quisimos ver, dentro de la totalidad de la plataforma, su distribución dentro de cada categoría cogiendo como modelo las que la propia plataforma ofrecía. Nos encontramos con la siguiente disposición:

Música	53	Gente y blogs	20	Viajes y eventos	18
Comida	11	Belleza y moda	5	Consejos y estilo	5
Coches y vehículos	2	ONG y activismo	2	Comedia	1
Educación	1	Entretenimiento	1	Entretenimiento familiar	1
Cine y animación	1	Videojuegos	1	Noticias y política	1
Noticias y política	1	Deportes	1	Ciencia y tecnología	1
Mascotas y animales	1				

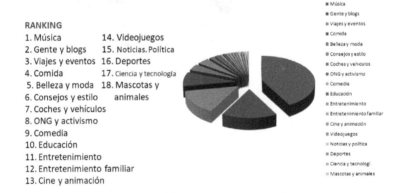

RANKING
1. Música
2. Gente y blogs
3. Viajes y eventos
4. Comida
5. Belleza y moda
6. Consejos y estilo
7. Coches y vehículos
8. ONG y activismo
9. Comedia
10. Educación
11. Entretenimiento
12. Entretenimiento familiar
13. Cine y animación
14. Videojuegos
15. Noticias. Política
16. Deportes
17. Ciencia y tecnología
18. Mascotas y animales

Figura VI: Visualización de palabra clave por categorías. Fuente: Elaboración propia.

Los resultados obtenidos revelan que la música es la principal categoría de búsqueda pero con gran presencia de otras categorías como "gente y blogs", "viajes y eventos" o "comida"; dicha distribución podría explicarse cuando vemos el desarrollo del backstage de un concierto, las aventuras del tour de un grupo o cuando se realiza un video para los fans sobre algún gusto especifico. Sin embargo, sigue llamando la atención que categorías como "ONG y activismo" estén por delante de "entretenimiento" o que haya contenido en categorías como "mascotas y animales" aún siendo este residual como la sponsorización o patrocinio de eventos específicos.

Hay que destacar que tras la finalización de este estudio se intentó contactar con los responsables de los canales para plantear una pregunta respecto a los resultados obtenidos.

La pregunta hacía referencia al uso o no uso de # y a la forma en que se categorizaban los contenidos.

Figura VII: Entrevista de comprobación. Fuente: Elaboración propia

De 53 solicitudes de contacto[58], 20 nos respondieron que acudían a combinaciones de palabras clave aleatorias como una forma de llegar al público de forma diferente: la práctica totalidad de los entrevistados lo mencionó como estrategia propia de los responsables de marketing y como una forma de identificar de una forma más clara a un tipo de usuario muy especifico donde prime las preferencias del consumidor a través de acciones asequibles para la gran mayoría de sus nichos de estudios[59]: curiosamente cuenta

[58] Encontramos durante el estudio 5 diversificaciones de los canales principales que se añadieron posteriormente.
[59] Los resultados totales de esta área de investigación forman parte de un estudio que se encuentra en proceso actualmente-

con todas las características propias de lo que conocemos como small data o datos procesables en el área de Business Intelligence.

De igual modo, se estableció un testeo primario para averiguar si existía algún alteración en los resultados cuando estos se solicitaban desde dispositivos o localizaciones diferentes. Los resultados alojaron que el dispositivo no alteraba el orden de los resultados pero si la localización sobre todo para el caso del móvil: la prueba se realizó en tres ocasiones con tres modelos diferentes activando y desactivando la ubicación[60]: cuando la ubicación se encontraba activa primaban resultados más actuales y con una denominación específica.

Discusión y conclusiones

El estudio pone de manifiesto que se tiende a asociar la palabra clave con la categoría y que hay una distorsión en el objetivo de la misma: mientras que el usuario lo utiliza desde un punto de vista práctico, los departamentos o responsables de canales le siguen otorgando un valor promocional tendente a la imagen por lo que el ranking de visualización de resultados sigue predominando o bien para grandes corporaciones o devuelve resultados inesperados como un video de cocina en el que participó un artista determinado.

A día de hoy se puede decir que no hay un estándar de búsqueda homogéneo para todas las discográficas y que cada uno emplea sus propias estrategias a base de prueba y error.

Figura VIII: Resultados de la investigación. Fuente: Elaboración propia

A la hora de hablar de tendencias en la búsqueda de escucha musical el hecho de que otras plataformas en streaming no tengan del todo implantado el sistema de búsqueda por palabras clave y apuesten más por la curación de contenidos separa mucho los nichos de mercado. Por otro lado, la iniciativa que podía partir de los propios departamentos de comunicación que son los que etiquetan el contenido (en vez de la plataforma) no les interesa

---

[60] La primera y la tercera prueba se realizó con un Aquarius U en Madrid y en Zaragoza. La segunda prueba con un htc one en Valladolid.

llegar al mencionado estándar porque existe la creencia generalizada que de la combinación pueden aparecer nuevas posibilidades.

Queda entonces la posibilidad de que sea el propio usuario el que se entrene en nuevos métodos de búsqueda selectiva no solamente asociando mentalmente posibilidades de uso hacia un tema especifico sino siendo capaz de ponerse en el papel del otro para poder averiguar y descubrir nuevos contenidos bien como seguidor del propio contenido o como visitante en nuevos canales y contenidos que aparecen.

Es en este punto cuando se recomienda, dadas las lagunas propias con las que uno se encuentra, mayor investigación en un área aún sin explorar y el fomento de actividades académicas como un primer paso para abrir nuevas vías de aprendizaje a un sector donde tiene un gran conocimiento en el uso de las herramientas pero las limita siempre a las mismas funciones pudiendo encauzar y reconocer nuevas tramas de creatividad e investigación dentro de los mecanismos mediáticos y digitales de lo cotidiano.

Referencias bibliográficas

Alexa (2016). "Alexa Traffic Ranks: How Popular Is youtube.com". Recuperado de: http://www.alexa.com/siteinfo/youtube.com. Último acceso: 20 de octubre de 2017.

De Aguilera, M. (2008). El encuentro entre la comunicación y la música: razones, criterios y enfoques. En M.de Aguilera, J.E. Adell y A. Sedeño (eds.), Comunicación y música (pp. 9-47). Vol. 1. Barcelona: UOC Press.

Bauman, Z. (2000). Modernidad liquida. Barcelona: SL Fondo de cultura.

Davenport, T.; Beck, J. (2001). The Attention Economy. Boston, Massachussets: Harvard Business School Press.

Griffiths, J. (2014). Musicología, informática y la vihuela en el siglo XXI. Recuperado de: http://ruc.udc.es/dspace/bitstream/handle/2183/13565/HD_art_2.pdf?sequence=1. Último acceso: 28 de diciembre de 2017

Herrera, F (2015). ¿Qué es y para qué sirve el ecosistema digital para mi pyme? Madrid: Editorial Gapes.

Hernandez, M.(2012). Pasos sound. Revista Latinoamericana Musical 1(1), 2-3.

IFPI. Global Music Report. (2017). Recuperado de: http://www.ifpi.org/news/IFPI-GLOBAL-MUSIC-REPORT-2017 Último acceso: 28 de diciembre de 2017.

Lindström, M. (2017). Small data: las pequeñas pistas que nos advierten de las grandes tendencias. Barcelona: Deusto Ediciones.

Martínez, F. (2011). ¿Cómo han evolucionado las Redes Sociales desde su origen? Recuperado de: https://fatimamartinez.es/2011/12/21/como-eran-las-redes-sociales-cuando-empezaron/. Último acceso: 21 de diciembre de 2017.

Martínez, J. (2016). Small Data: pequeñas pistas que aportan mucho valor a tu negocio. Recuperado de: http://www.ainia.es/insights/small-data-pequenas-pistas-que-aportan-mucho-valor-a-tu-negocio/. Último acceso: 26 de diciembre de 2017

Monzoncillo, J.: Entrevista a Henry Jenkins. En Monzoncillo, J. y Haro G. (eds.) Millennials. La generación emprendedora. (2017). Recuperado de: https://www.fundaciontelefonica.com/arte_cultura/publicaciones-listado/pagina-item-publicaciones/itempubli/588/. Último acceso: 28 de diciembre de 2017.

Buscar palabras clave para SEO en Google y Youtube 2017. Neottack (2017). Recuperado de: https://neoattack.com/buscar-palabras-clave-para-seo-en-google-y-youtube/. Último acceso: 26 de diciembre de 2017.

Nogueira, A. (2017). Como hacer Youtube SEO y atraer la visibilidad de tus videos. Recuperado de: https://blog.hotmart.com/es/youtube-seo/. Último acceso: 28 de diciembre de 2017.

Owsinski, B. (2009). Music 3.0: a survival guide for making in the Internet Age. Music Pro Guides. Nueva York: Mal Leonard Books.

Owsinski, B. (2017). 7 Music Business Predictions For 2018. Recuperado de: https://www.forbes.com/sites/bobbyowsinski/2017/12/30/music-predictions-2018/#2e3b41223f1b. Último acceso: 2 de enero de 2018.

Sandulescu, A. (2017). Fundamentos de métrica digital en ciencias de la comunicación. Barcelona: UOC.

StatCounter. (2016). Browser Market Share Worldwide. Recuperado de: http://gs.statcounter.com/. Último acceso: 2 de enero de 2018.

UFI. Unión Fonográfica Independiente (2017). Un nuevo estudio realizado por WIN ofrece la primera visión global de los informes de listas de ventas a nivel mundial. Recuperado de: http://ufimusica.com/informe-wincharts-de-listas-de-ventas-2017/. Último acceso: 28 de diciembre de 2017.

WIN. Worldwide Independent Market Report. (2016). The global economic and cultural contribution of independent music. Recuperado de: http://winformusic.org/files/WINTEL%202015.pdf. Último acceso: 2 de enero de 2018.

Zink, M., Suh, K., Gu, Y., Kurose, J. (2008). Watch global, cache local: YouTube network traffic at a campus network: measurements and implications. Electronic Imaging, 6818, 1–05.

Este libro se terminó de elaborar en mayo de 2018
en la ciudad de Sevilla, bajo los cuidados de
Francisco Anaya, director de Ediciones Egregius.